둑 너머 솔밭 강

발 행 | 2019년 10월 29일
저 자 | 김성화
펴낸이 | 한건희
펴낸곳 | 주식회사 부크크
출판사등록 | 2014.07.15.(제2014-16호)
주 소 | 서울특별시 금천구 가산디지털1로 119 SK트윈타워 A동 305호
전 화 | 1670-8316
이메일 | info@bookk.co.kr
ISBN | 979-11-272-8617-0
www.bookk.co.kr

김성화 산문

둑 너머 솔밭 강

김성화 산문

차례

제 1부 둑 너머 솔밭 강

제 2부 외가 동네

책을 엮으면서,

94세 어머니는 매번 같은 이야기만 반복하신다.

딸만 내리 여섯을 보신 외할아버지께서 아들을 얻고자 바람을 피우신 이야기,
어려운 농사일과 빠듯한 살림에도 불구하고 딸애들을 학교에 보내주셔서 고마웠다는 이야기,
14살 어린 나이에 공부를 더 하고 싶은 욕심에 만주 큰집을 찾아가면서 겪었던 고생담 등,

너무 자주 들었던 이야기라서 다음에 무슨 말이 나올지 훤히 알 수 있는 이야기를 또 꺼내시면 나는 지겨운 이야기를 또 듣고 있어야할지 망설이게 된다.
전에 하셨던 이야기를 토시 하나 바꾸지 않고 똑 같은 어조, 똑 같은 감정으로 이야기 할 수 있는지,
책을 읽듯 옛이야기를 풀어내시는 어머니의 능력에 감탄이라도 하고 싶지만, 실제는 정반대의 행동을 하고 만다.

"자주 들어서 다 알고 있는 이야기를 또 하오?"
퉁명스러운 아들의 말이 고깝지만 쉽게 의지를 꺾을 리가 없으시다.

“내가 언제 이야기 했다고 그러냐? 그리고 이야기 했다고 하더라도 또 하면 어떠냐?”
“내가 다 외울 정도로 너무 자주 들었던 이야기라서 듣기 싫어서 그러오.”
“그렇다고 자식이 돼서 어미 말에 그리 통박을 주냐? 자식이 둘이 있나, 셋이 있나, 너 아니면 어디 대고 내가 이야기를 할 수 있나? 그러지 마라, 서러워서 눈물이 나오려고 한다.”

이쯤 되면 나는 할 말이 없다.
잠자코 어머니의 이야기를 듣고 있었으면 좋았을 걸 하고 후회를 하지만 이미 늦었다.
‘다음번엔, 아니, 30분도 지나지 않아 같은 이야길 또 하실 테니까, 그때는 잠자코 있기로 하자.’
마음속으로 생각했지만, 다음번도 또 마찬가지 상황이 벌어질게 뻔하다.

내가 듣기엔 하찮은 이야기건만, 어머니에게는 아주 소중한 추억이다.
어머니의 추억을 대수롭지 않게 여기는 내게도 어린 시절의 추억이 있다.
내 추억 역시 다른 사람이 들으면 지극히 단편적이고 하찮은 이야기일 것이다.
그런 이야기를 내 자식들에게 들려주는 대신 주절주절 글로 옮겨 썼다.
이제 그 글들을 모아서 감히 책으로 꾸밀 욕심을 냈다.
옛 추억을 이야기하는 어머니의 이야기를 도중에 잘라 먹었듯,

누군가는 내 이야기도 읽다가 그만 둘 거라는 생각을 하면 얼굴이 화끈거리지만,

일을 저지르고 말았다.

그런 걸 알면서도,

어쩌랴?

제1부

둑 너머 솔밭 강

1. 솔밭 강

고향을 그리는 마음, 향수의 대상이 되는 추억이 한두 개 일까마는, 유난히 많이 떠오르는 추억의 절반쯤은 중학교 입학식을 치르기 전에 겪었던 유년 시절의 소소한 일상들이다.

솔밭 강은 어린 시절 내가 살았던 동네 근처에 있는 강의 이름이다.
먼 산골짜기에서 시작된 개울물이 다른 골짜기의 물과 합해져 시내가 되고, 또 다른 시내들과 만나서 마침내 낙동강으로 흘러가는, 지도에서도 볼 수 있는 어엿한 이름을 가진 강이지만, 우리 동네 앞을 지나는 부분만큼을 우리들은 솔밭 강이라고 불렀다.
경부선 철교가 보이는 솔밭 앞에서 강은 줄기가 갈라져 본류는 동네를 둥그렇게 감싸며 흐른 후 동네가 끝나는 하류에서 갈라졌던 지류와 다시 만나 큰 강인 낙동강을 향해 흘러갔다.
동네의 남쪽과 동쪽 일부분에는 둑으로 막혀 있지 않고 비스듬히 강과 잇대어 있었다.
집들은 강물의 범람을 막아주는 둑이 있는 쪽에 모여 있었고, 둑이 없는 쪽은 대부분이 농사를 짓는 밭이었다.
우리 또래의 놀이터나 마찬가지였던 솔밭 강은 집에서 10분도 채 걸리지 않는 거리에 있었다.
키 큰 소나무가 빽빽이 우거져 있는 송림을 우리는 솔밭이라고 불렀다.

초등학교 1학년 한 때 잠깐 임간학교로 이용하기도 했던 솔밭은 공설 운동장 본부석 뒤쪽 수원지 사이, 군청 앞 신작로에서 모직회사 뒤편의 둑 너머 강변까지 넓게 이어져 있었다.

솔밭과 강 사이에 엎드려 있는 둑은 강이 갈라진 곳부터 읍내로 넘어가는 배다리 입구를 지나 그 아래 변전소 너머 강이 둥그렇게 휘어지는 곳까지 길게 이어져 있었으며, 우리 동네에서 솔밭 강으로 가려면 공설운동장을 지나 솔밭을 가로지른 후 둑을 넘어가야 했다.

그리 높지는 않지만, 자동차도 다닐 수 있을 정도로 넓은 둑 위에 올라서면 오른쪽에는 우거진 소나무가 길게 펼쳐져 있었고, 왼쪽에는 강을 발아래에 둔 낮은 산이 웅크리고 있는 게 보였다.

강을 가로 지른 철교와 철길이 놓여있는 둑이 바로 보이는 광경이며 철길 너머 함지박을 엎어 놓은 모습의 산봉우리는 손을 뻗으면 닿을 듯 가까워 보이지만 실제는 먼 곳이다.

둑을 넘어서면 가끔 소 싸움터로 이용되기도 했고, 활터로 이용되기도 했던 강변이 펼쳐져 있었고, 다른 한편엔 강기슭까지 키 큰 소나무가 우거진 숲이 있었으므로 우리는 그 근처의 강 이름을 '둑 너머 솔밭 강'이라고 했던 것이다.

동네 안쪽 우시장으로 가는 길을 소전거리라고 했고, 우리 집은 소전거리가 시작되는 공설 운동장 맞은편 군청 시멘트 블록 담을 따라오면 만나게 되는 군수 사택 맞은편에 있었다.

군수 사택의 대문과 마주 보며 나 있던 대문을 이사 오면서 중학교로 가는 지름길이기도 한 골목 쪽으로 옮긴 건 공장 출입을 쉽게 하기 위해서 였다고 했다.

웬만한 집터 두 개를 합한 것보다 터가 넓어서 뒤란을 텃밭으로 이용하기도 했고, 옆집과 경계 쪽엔 닭장 따위를 만들어 동물을 키우는 공간으로 활용하기도 했다.

공장을 할 작정으로 산 집이었으니, 당연히 공장건물을 지었고, 살림집 사이에 있는 감나무 앞에는 작은 연못을 만들기도 했다.

신작로 변의 전기회사 옆 골목집에서 살다가 이사를 했는데, 소전거리로 가지 않고 지름길인 좁은 골목으로 이삿짐을 옮기기도 했던 광경이 어렴풋이 떠오르지만, 정작 그때 내가 몇 살배기였는지는 모르겠다.

다섯 살 아래인 큰 여동생이 이사하고 난 뒤 태어난 걸 기억하는 거로 따져보면 이사할 당시의 내 나이는 다섯 살이 채 되지 않았을 거라고 짐작한다.

이사를 하고 나서도 곧잘 신작로까지 놀러 나가기도 했지만, 그때 있었던 일들이 내가 그리는 고향의 모습이 아니고, 초등학교에 입학하고 난 이후의 나의 일상이 추억이 되기 시작했다는 것이 맞을 것이다.

소전거리 입구 사거리를 건너 공설운동장에서 병정놀이 하며 놀았던 일이며, 철조망을 넓히고 들어간 수원지 숲에서 이름 모르는 새들의 알이며 새끼를 꺼냈는가 하면, 풍뎅이를 잡았던 기억, 수원지 앞 웅덩이에서 왕잠자리를 잡으며 하루해를 보내기 일쑤였던 일 따위,

일상이 어찌 그것뿐이었을까, 키 큰 소나무들이 송홧가루를 흩뿌리는 솔밭을 돌아다니다 지치면 강물에 뛰어들어 옷이 흠뻑 젖는 것도 모르고 강바닥의 돌멩이를 뒤집어 징거미를 잡으려다 문득 들려오는 기적 소리

에 허리를 펴고 철길로 눈길을 보내면, 막 산모롱이를 돌아 나온 기차가 검은 연기를 내 뿜으며 강 위 철길 위를 덜컹거리며 달리는 걸 지켜보고 서 있던 그때가 눈에 선하다. 한참 나중의 일이지만, 매일 보다시피 하는 기차의 목적지가 궁금했고, 막연하게 그곳이 서울일 거라 짐작하고, 언젠가는 반드시 서울로 갈 꿈을 꾸기도 했다.

2. 전쟁의 기억

일찌감치 잠이나 자려고 자리에 누웠는데 잠은 오지 않고 온갖 잡념이 꼬리를 문다. 뒤척이던 끝에 기어이 일어나서 티브이를 켰다.

요즘엔 활동이 뜸해서 거의 잊고 있던 가수가 오래전, 잘나가던 시절에 유행시켰던 노래를 부르고 있다.

'모든 것이 다 지나가 버려도 내 마음은 당신 곁으로'

노래를 듣다 보니 문득 개사를 하고 싶었다.

'모든 것은 다 없어져 버리고 내 마음은 고향 앞으로'

고향으로 돌아가고 싶다고 해서 마음먹은 대로 돌아갈 수가 없는 형편이다 보니, 그저 서서히 잊혀가는 고향을 추억하는 것 외에 도리가 없을 것 같다.

나는 공부하는 머리는 별로 신통하지 않았던 게 분명하지만, 소소한 걸 기억하는 머리는 그런대로 괜찮은 것 같다. 그걸 딱 증명할 수는 없지만 어쩌다 아주 어렸을 때 보고 들었던 걸 기억해내고 이야기를 하게 되면 나이 많은 우리 식구 중 어머니나 이모 혹은 고모가 놀란 듯이 내게 물어본다.

"그때 네 나이가 몇 살이었는데 그걸 알고 있나?"

그렇게 물어볼 수밖에 없었던 사연을 늘어놓는 것을 시작으로 아주 어렸을 때의 고향을 추억한다.

내가 살던 동네의 이름도 모르던 어린 시절이었다.

대문이랄 것도 없었지만, 대문을 벗어나면 바로 신작로였다. 포장이 되지 않은 신작로의 한쪽은 읍내로 이어져 있었고, 반대편은 역으로 이어져 있었다. 신작로는 항상 먼지가 펄펄 날렸으므로 신작로 옆에 사는 사람들은 먼지가 나지 않게 할 작정으로 도로에다 물을 뿌려댔지만 더운 날씨 탓에 물은 금방 말라 버렸고, 그 물이 마르면서 내뿜는 열기로 신작로는 집안보다 더 더웠다. 그렇긴 했지만, 사람들은 가로수 한 그루 없는 신작로에 나와 있는 걸 좋아했던 것 같았다.

신작로와 이어진 골목 입구, 그늘진 곳에는 가마니 같은 걸 깔고 앉은 노인들이 졸음을 참아가며 지나다니는 사람들을 구경하기도 하면서 사는 이야기를 나누고 있기도 했다.

전쟁이 계속되고 있었으므로 어쩌면 전쟁에 관한 이야기를 하면서 혹시 피난이라도 가야 하는 게 아닐까 하고 걱정도 했다.

노인네들이 걱정했던 것처럼 실제 우리 식구들은 피난을 갔다.

아버지의 사촌 누님, 즉 종고모네 식구들과 함께 기껏 피난이라고 간 곳이 읍내에서 이십 여리 떨어진 시골 외갓집이었다.

읍내에는 특선이니 일반선이니 하면서, 살림살이에 따라 차등을 뒀지만,

어두워지면 전깃불이라도 들어 왔는데, 외갓집은 오로지 호롱불만이 어둠을 밝힐 수 있는 도구였다. 저녁을 먹고 나면 이내 어두워졌고, 그때쯤에는 대청마루 기둥에다 호롱불을 넣은 등을 내다 걸었지만, 얼마 지나지 않아 그나마 기름을 아낀다고 금방 호롱불도 끄고 잠자리에 드는 게 일상이었다.

초저녁에 피워두었던 모깃불도 사그라졌는지 가물대는 쑥 타는 냄새를 흐릿하게 느끼면서 어른들 틈에 끼어 초저녁부터 잠을 자게 되면 한밤중에는 어김없이 소변이 마려워서 잠을 깨기 마련이었다.

덥다고 열어 놓은 방문을 넘어 별빛인지 달빛인지 모를 방안보다 밝은 바깥의 빛에 모기장 그물의 그림자가 희미하게 내려앉아 어른대는 걸 보게 되고, 그 그림자가 무슨 귀신 형상 같은 것으로 연상이 되어 더럭 겁이 나서 금방 나올 것 같았던 소변은 쏙 들어가고 말았다.

바람이 부는지 건너편 사랑채 앞에 서 있는 감나무 가지가 부딪히고 이파리가 떠는 소리에 머리털이 삐쭉 곤두서기도 했다. 무서움에 어른들 틈새를 비집고 들어가 보지만 어느새 잠은 사라져 버리고 가만히 엎드려 있으면 주위의 가느다란 소리에 온 신경이 예민해지기만 했다.

참았던 소변이 다시 마려워져 도저히 참을 수가 없게 되어서야 어머니를 깨웠다.

잠결에 어머니는 사랑채에 잇닿은 헛간으로 나를 데리고 가서 소변을 보게 했다.

헛간은 말 그대로 지붕 아래 기둥만 받치고 있는 빈 공간이다. 아궁이에서 긁어낸 재와 외양간의 쇠똥과 오줌 범벅인 짚 따위가 썩으면서 뿜어내는 지리고 시큼한 냄새가 내 소변 방울에 묻어났다. 그냥 소변만 보면 될 것을 냄새를 피하고자 고개를 돌린 게 헛간 건너 흙담 너머 멀리 떨어진 곳에 높다랗게 버티고 서있는 산봉우리에 시선을 보내게 되었다.

푸르스름한 하늘 아래 거무튀튀한 몰골로 웅크리고 있는 산의 자태에서 시선을 거두려는 순간 나는 기겁을 할 정도로 놀라운 모습을 보고 말았다.

시커멓게 엎드려 있던 산봉우리에서 하늘이 환하게 비칠 정도로 밝고 큰 횃불이 불쑥 밝혀졌고 그걸 보자마자 오줌 줄기가 뚝 멎어버릴 정도로 식겁을 하고 만 것이었다.

횃불은 마주 보이는 산봉우리 한 군데에서만 솟아오른 것이 아니었다.

길게 웅크리고 있는 산봉우리 여기저기에서 잇달아 횃불이 솟아오르는 걸 보고 놀란 나는 얼른 돌아서서 어머니 품으로 파고들었다.

어머니 역시 횃불이 솟아오르는 광경을 보게 되었고, 이내 놀라고 겁이 난 목소리로 안방을 향해 소리쳤다.

한밤중에 어머니의 고함에 잠이 깬 사람들은 외가댁에 있던 사람들만이 아니었다. 이웃집 사람들도 한밤중의 소동에 모두 잠자리에 일어났고 그들도 건너편 산봉우리의 횃불을 보게 되었다.

모두 겁에 질려 있는 중에 외할아버지께서 횃불의 정체를 설명하셨다.

빨갱이들이 봉화로 신호를 보내는 것이 분명하다면서 여기도 안전한 곳이 아니니 날이 밝으면 읍내로 돌아가는 것이 좋겠다고 하셨다.

이때가 1950년 8월 초 국군과 연합군이 낙동강선 까지 물러나서 '부산 교두보'라고 불리는 남부 방어선을 설치하고 북한 공산군의 남진을 막아내던 때라고 역사에 기록되어 있는 것을 나중에 책에서 읽었다.

3. 배다리 난간에 세워져있었던,

봉화 사건으로 겁을 집어먹은 우리 식구들은 서둘러 읍내의 집으로 돌아왔다.

전쟁이 시작되었을 때처럼 많지는 않았지만, 우리 집 앞 신작로엔 여전히 보따리를 이고 짊어진 피난민들이 지나다니고 있었다.

외갓집에서 돌아온 지 한 달도 더 지나 추석이 가까워지고 있었던 때라고 기억한다.

읍내 시장으로 대목장을 보러 가는 어머니를 따라나섰다.

읍내로 들어가려면 강을 가로질러 놓인 다리를 건너야 했다.

우리는 그 다리를 '배따리껄' 이라고 했다. (표준어로 '배다리 거리'- 강이 있고 다리가 있는 도시에는 거의 배다리라는 지명이 붙은 동네가 있더라)

야트막한 고개턱에 막 올라서서 다리로 들어서기 전에 어머니와 나는 다리 입구 근처에서 사람들이 몰려 웅성대고 있는 걸 볼 수 있었다.

가뜩이나 전쟁으로 하루도 편할 날이 없이 뒤숭숭한 생활을 하고 있던 사람들은 다리 위에서 참혹한 광경을 목도하고는 놀란 목소리로 소리를 지르는 사람도 있었고, 두 번 다시 봐서는 안 될 광경을 보고 말았다는 낭패감에 아예 고개를 떨어뜨리고 웅성대는 사람들 뒤에 숨다시피 한 사람들도 있었다.

어머니도 후자 편에 속했는데 얼른 내 몸을 돌려세우고는 두 팔로 내 얼굴을 꼭 감싸 안으셨다.

영문도 모른 채 어머니 치마폭에 안겨서 잠시 어리둥절했으나, 곧, 내가 어머니의 치마폭에 숨어 있어야 하는 것에 의심이 들었고, 모여 있는 사람들의 행동이 궁금해서 오래 그러고 있을 수는 없었다.

치맛자락을 살며시 열어 고개를 들어 어머니의 모습을 잠깐 바라본 후 바로 바깥으로 시선을 옮겼다. 어른들의 다리가 보였고, 약간 고개를 쳐들어보니 파란 하늘 아래, 놀라서 웅성대고 있는 사람들의 얼굴들이 보였다.

거기까지만 봤어야 했다.

그러나 무엇 때문에 사람들이 저렇게 겁에 질려 모여 있는지 알고 싶었던 호기심 때문에 나는 고개를 쳐든 채, 이쪽저쪽을 흘금거리고 있었고, 마침내 보지 말아야 할 것을 보고 말았다.

내가 보고 만 것은 공중에 떠 있는 사람의 머리통이었다.

무심코 처음 봤을 때는 사람의 머리인 줄 몰랐었는데, 사람의 머리가 맞는지 의심이 생겨서 두 번째 다시 올려다보았더니 핏기라고는 찾아볼 수 없이 거의 하얀 색으로 변해버린 사람의 머리가 분명했다.

다리 난간, 철제 칸막이 사이 기둥마다 기다란 대나무를 묶어 세워두고 있었고, 그 장대 끝에 매달려 있었던 것은, 아니 꽂혀 있었던 것은 사람의 머리들이었다.

마구 흘러내린 머리카락은, 나중에 그런 모양을 봉두난발이라는 한자말로 표현한다는 걸 알았지만, 가늘게 부는 바람에도 어지럽게 흔들려 핏기 없는 머리를 덮어씌우기도 하고 있었다. 그 사이 혓바닥이라고 믿기 어려울 정도로 긴 혀를 빼물고 있는 모습을 보이기도 하여, 그만 봐 버린 그 광경은 정말 처참하고 끔찍했다.

자라면서 동네 아주머니들이 자기 자식들에게 쉽게 내뱉곤 하던 욕, '세(혀)가 만발이나 빠질 놈'이라는 소리를 들을 때마다 겁에 질려 오줌을 지릴 정도였으니, 그때의 끔찍한 모습은 오랫동안 내 머릿속에 남아 있었다.

장대의 중간에는, 아마 머리 주인의 이름과 살았던 동네 이름, 그런 걸 적어 놓은 천 조각이 나부끼고 있기도 했는데, 글을 모르는 내가 읽어 볼 수도 없었을 뿐 아니라, 이미 혼이 나간 어머니는 서둘러 돌아서서 집으로 돌아오는 바람에 더는 머리 구경은 할 수 없었다.

나중에 들은 이야기로 그 머리의 주인들은 빨갱이 편을 들어 우리 국군들에게 손해를 끼쳤기 때문에 근처에 사는 동네 사람들이 국군들의 원수를 갚기 위해 그렇게 한 것이라고 했다.

고향은 전장 터는 아니었지만, 우리가 모르는 사이에 그렇게 숱한 희생자들을 쏟아 내고 있었다.

전쟁은 쉽게 끝이 나지 않았고, 읍내 쪽에서 신작로를 따라 탱크들이 몰려오고 있는 모습도 심심찮게 구경할 수 있었다.
군청 옆에 있는 학교 (가곡동으로 이사 가기 전의 세종고등학교라고 했던 것 같다) 운동장에서는 매일 장난감 같은 나무총을 든 훈련병들이 군사훈련을 받고 있었고, 어른들은 그 훈련병들은 최전방으로 끌려가서 금방 죽게 되는 총알받이들이라고 수군거리는 소리를 들을 수도 있었다.

가끔 소전거리 안쪽에서 호루라기 소리며 시끄러운 소리가 들려서 쫓아가 보면 백 바가지를 쓴 헌병들이 젊은 사람들을 잡으러 다니는 모습을 볼 수 있었다.
도망 다니던 청년은 금방 헌병들에게 붙잡혔고, 사람들이 구경하는 가운데 청년은 헌병들에게 흠씬 두들겨 맞은 후 끌려가기 일쑤였다.
낡은 군복을 입은 청년은 탈영병이라고 했고, 헌병들은 청년의 빛바랜 군복 상의 등짝에 검정 페인트로 'P'라고 크게 갈겨쓰고는 청년을 개 끌 듯 끌고 가는 것을 보고 얼마나 심장이 두근거렸던지 지금도 또렷이 기억이 난다.
'P'자는 죄수라는 뜻의 영어 Prisoner의 첫 글자라는 걸 나중에 알았다.

전쟁이 얼마나 오래갈 것인지 내 또래들은 알 수 없는 노릇이었지만, 어쨌든 세월은 흘러갔다.
우리 집은 신작로에서 소전거리 쪽으로 조금 들어간 곳으로 이사를 했다.
터가 넓은 집을 장만하여 집안에 공장을 차렸고 공장에 일하러 나오는 사람들이 스무 남은 명이 넘었다.

전쟁 때문에 부상당한 군인을 치료하기 위해서 주사기는 꼭 필요한 군수품이었고 수요가 폭발한 주사기는 만드는 쪽쪽 군용으로 납품되고 있었다.

'죽는 놈 옆에 사는 놈이 생긴다' 는 속담은 그 당시 아버지의 사업에 딱 들어맞는 말이었다.

4. 임간학교

아버지의 공장은 잘 되는 것 같았고, 우리 공장에 들어와서 일하고 싶다는 사람들이 넘쳐났다.

전쟁 통에 마땅히 일할 곳이 없기도 했겠지만, 군수품을 생산하는 우리 공장에서 일하게 되면 군대 가는 걸 연기할 수 있거나, 잘하면 빼준다고도 했으니 월급을 바라고 오는 것이 아니라 군대에 가면 총알받이가 될지도 모른다는 불안감에 우리 공장에 다니고 싶어 했던 사람이 더 많았던 것 같았다.

그 당시 상황만 놓고 본다면, 아버지는 젊은 나이에 사업에 성공했던 것 같았다.

이사 와서 집을 수리할 때 방 두 개를 합쳐서 만든 안방은 엄청 넓었고, 그 큰 방바닥에 전기 시설을 설치하여 나무로 군불을 때지 않고도 방이 쩔쩔 끓을 만큼 뜨겁게 했다.

아버지는 친구들을 불러 모아서, 개가 노래를 듣고 있는 상표-'빅타 레코드'라고 기억되는 축음기로 유행가를 틀어 놓고 서양 춤을 배우기도 했다.

얼마간 사용하면 끝이 닳아져서 버리게 되는 축음기 바늘을 차지할 욕심으로 나는 바늘을 갈아 끼는 기회를 엿보면서 어른들이 춤추는 광경을 구경하기도 했다.

축음기 바늘을 가느다란 대나무 끝에 꽂아 실로 총총 동여매고, 다른 쪽 끝은 4등분으로 쪼개어 종이로 만든 바람개비를 끼어넣으면 아주 훌륭한 꽂기 장난감이 되었으므로 사용 후 버리는 축음기 바늘은 어린 나에게 귀중한 물건이었다.

어머니가 아버지가 아닌 다른 남자와 어울려 춤을 추는 모습을 보는 것이 싫었지만, 나서서 말릴 수가 없었으므로 장롱과 장식장 사이의 좁은 공간에 끼어 앉아 어머니의 춤추는 모습을 그냥 지켜보기만 했다.

어머니의 상대가 되어 춤을 추던 남자 중에 모 신문사의 지방 주재원인 권 기자 아저씨가 우리 집에 들락거리는 게 가장 싫었는데, 어느 날 그 아저씨가 딸이라며 데리고 온 여학생이 너무 예뻐서 그만 그 아저씨를 좋게 봐주기로 했다.

사실 그 여학생은 그때 이미 중학교 1학년이어서 감히 내가 넘볼 수 있는 상대가 아니었지만, 나는 너무 일찍 그 여학생 때문에 이성을 그리워하며 몸살을 앓았던 것 같다.

그때 우리 집에는 두 사람이 이성을 그리워하는 병을 앓고 있었던 게 분명했다.

막내 고모는 아버지의 감시를 피해 부쩍 밤마실이 잦았다.

어머니는 벌써 눈치를 채고 고모에게 넌지시 경고했지만 고모는 들은 체도 하지 않았다

참다못한 어머니가 식구들이 둘러앉아 저녁을 먹을 때, 아버지에게 일러바치듯 말했다.

"우리 지붕에 돌멩이를 자꾸 던지는 놈이 누군지 모르겠소. 오늘은 저녁 잡숫고 골목에 한 번 나가 보소."

양철 지붕인 우리 집에 돌을 던지는 것을 신호로 고모를 불러내는 고모 남자 친구의 수법을 어머니는 알아차렸지만, 영문을 모르는 아버지는 쉽사리 골목에 나가볼 생각은 하지 않은 것 같았다.

나보다 열 살도 더 많은 고모는 숨어서라도 사랑을 할 수 있었지만 대가리에 쇠똥도 벗겨지지 않은 나는 아예 사람 축에도 들지 못했으므로 신세 한탄도 못 하고 어서 나이 먹기를 기다릴 뿐이었다.

아무도 모르게 혼자서 끙끙대는 사이 세월은 흘렀고 나는 국민학교에 입학을 했다.
(일제강점기 잔재라고 국민학교를 초등학교라고 고쳤지만 나는 국민학교를 고집한다)
왼쪽 가슴에 콧물받기 손수건을 달고, 선생님의 구호에 따라 하나, 둘, 줄 맞춰 걷는 것부터 배우기 시작했다.

그때까지도 학교의 본 교사는 군대에서 병원으로 사용하고 있었다.
가교사도 교실이 모자랐는지 날씨가 풀리면서 우리는 공설운동장과 수원지 사이에 있는 솔밭에서 수업을 받았다.

소나무에 걸어 놓은 칠판을 바라보며 우리는 넓적한 돌멩이를 깔고 앉아 글을 배웠다.
거리가 좀 떨어졌지만 본 교사에서 수업 시작을 알리고, 마치는 종소리가 들렸으므로, 그 종소리에 따라 쉬는 시간을 가졌고, 공부 시간도 시작되었다.

운동장이 따로 없었으므로, 교실 삼아 정해둔 솔밭 근처에서만 노는 것을 허용했지만, 좀 별난 아이들은 선생님이 넘어가지 못하게 누누이 주의를 주었음에도 불구하고 둑을 넘어 강가까지 너무 멀리 놀러 가는 바람에 수업이 시작된 줄도 모르고 돌아오지 않기도 했다. 선생님은 그런 아이를 붙잡아 와서는 소나무에 매달린 칠판 밑에 꿇어앉히기도 했지만, 제 마음대로 행동하는 아이들은 선생님의 말씀을 듣지 않고 계속 그 짓을 되풀이하곤 했다.
어디선가 읽은 적이 있는데, 우리처럼 숲에서 공부했던 것을 '임간학교林間學校에서 공부했다'라고 표현한 것을 보면 아마 전쟁으로 인해 교실이 부족했던 당시에는 우리처럼 돌멩이를 깔고 앉아 공부했던 곳이 많이 있었던 모양이었다.

반마다 얼마간 거리를 두고 떨어져 앉아 수업을 받긴 했지만, 일곱 학급이나 되는 많은 학생이 바글대는 숲속의 수업은 산만하기 그지없었을 것이고, 아마도 선생님들은 글을 가르치는 것보다 맡은 반의 학생 수를 확인하는 것으로 하루를 보내고 있었을 것이었다.

기껏, 선생님이 열을 올려 수업에 집중할 만하면 갑자기 읍내 쪽에서 사이렌 소리가 들려 올 때가 있었다.
철없는 우리는 정오를 알려주던 사이렌 소리와 구별하지 못하고 그냥 "오포 午砲 분다"고 신이 난 듯 떠들어 대며 선생님의 지시에 따라 근처 나뭇등걸 같은데 몸을 숨기는 훈련을 받기도 했다.
공습에 대비한 훈련이었는데 그걸 반공 연습이라고도 했다.

2학기가 시작되면서 임간학교에서의 수업은 끝이 났고, 가교사의 한 칸을 우리들의 교실로 배정을 받았지만, 온전하게 한 반이 사용할 수가 없었다.
우리는 부족한 교실 때문에 어쩔 수 없이 오전반, 오후반으로 나눠 등교하게 되었다.

오전반일 때는 학교에 가는 건 문제가 없었는데, 오후반은 등교 시간을 맞추는 게 쉽지 않았다.
아침밥을 먹고 그냥 집에 있는 것이 아니라, 어디가 되었던 쏴 돌아다녀야 직성이 풀렸다.
오전반일 때 하던 행동처럼 아침을 먹고 바로 집에서 나오게 되면 공설운동장에도 들려보고 얼마 전에 교실이었던 솔밭 교실의 돌멩이 위에 퍼져 앉아 마냥 놀기도 하다 보면 어느새 오후반 등교시간이 임박하곤 했다.

배가 고파서 집으로 달려가서 점심을 먹고 학교로 가게 되면 곱다시 지각하게 마련이었고, 그렇다고 마냥 굶을 수도 없어 난처한 형편에 처하는 경우도 생기곤 했다.

시계가 귀했던 때였으므로 도대체가 시간을 가늠할 수 없었던 우리는 읍내에서 들려오는 오포 소리로 점심때임을 알 수 있었다.

오후반인데도 마암산 쪽이라든지 먼 곳에 가 있다가 오포 소리를 듣지 못하는 날이면 어김없이 지각하기 마련이었다. 그럴 때마다 선생님에게 혼도 나고, 세 번 지각하면 결석 한 번과 똑같다는 엄포를 들을 때만큼은 지각하지 않으리라 마음을 먹기도 했지만, 며칠 가지는 못했다. 공부보다는 노는 것을 좋아했던 그때, 지각한 횟수가 엄청 많았던 것 같다.

그렇게 자주 지각을 했지만 나는 선생님에게 크게 야단을 맞은 기억은 없다.

우리 집에 두어 번 가정 방문을 하신 담임 선생님은 부모님의 부탁으로 날 좋게 대해주신 거라는 생각을 지금도 하고 있다.

5. 전쟁놀이

다른 고장에도 그랬겠지만, 우리 동네에도 타지에서 피난 온 사람들이 많이 살고 있었다.

공설 운동장 입구에서 조그마한 가게를 얻어서 빵집을 했던 영환이 형네도 그런 집이었다.

영환이 형은 나보다 세 살 위였던 것 같은데, 내가 국민학교에 입학했을 무렵까지 공설 운동장 입구, 지금도 영업을 하고 있다는 여관집에 딸린 가게에서 살았다.

가게에서는 밀가루를 걸쭉하게 풀어서 바나나 모양의 틀에 부어 넣어 구어 만든 빵을 팔았는데, 영환이 형 부친의 솜씨가 좋았든지, 바나나 빵이라고 불렀던 그 빵이 엄청나게 맛이 좋다고 소문이 났다. 빵집 건너편 중국집에서 파는 찐빵도 맛이 있었지만, 찐빵을 포장해주는 잿빛 종이가 찐빵에 눌어붙어서 그걸 떼어 내자면 아까운 빵 껍질도 따라서 벗겨지는 바람에 손해를 보는 기분 때문에 찐빵을 사러 갈 때마다 포장은 해주지 말았으면 좋겠다는 생각도 했다.

전쟁은 끝났다고 했지만, 우리는 매일 전쟁놀이를 하고 놀았다.

영환이 형과 동갑이었던, 이웃에 살았던 사촌 형이나 사촌 형의 동기들은 우리 또래하고는 어울릴 생각을 잘 하지 않았고, 우리가 뭘 하고 노는지 관심도 가져 주지 않았지만, 영환이 형은 항상 우리하고만 어울려 놀았다.

그때는 영환이 형이 왜 우리하고만 놀았는지 이유 같은 건 따져 보지도 않았지만, 나중에 생각해 보니 영환이 형은 외지에서 피난 온 처지다 보니 친구가 없었고, 또래들은 서울 말씨를 쓰는 영환이 형을 '서울내기 다마내기'라고 싫어했던 것 같았다. 그러다 보니 영환이 형은 만만한 조무래기들하고 놀 수밖에 없었던 것이었다.

전쟁놀이에서 영환이 형이 대장이었고 우리는 대장이 시키는 대로 편을 갈라서 전쟁놀이를 했다.

집 근처에 공설 운동장이 있었고, 운동장 뒤쪽에 둘러 서 있는 오래된 소나무 숲을 지나면 강이 있었다.

어디로 가든 우리가 전쟁놀이를 할 수 있는 장소는 널리고 널려 있었다.

우리들의 전쟁놀이는 총이나 대포를 사용하는 신식이 아니었고 칼이나 활을 사용하는 구식 전쟁놀이였다.

그러다 보니 무기로 사용해야 하는 나무칼을 만들기 위한 재료가 필요했다.

운동장 옆에 있는 수원지에는 잘 가꾸어 놓은 나무가 천지였다. 물론 우리가 필요한 나무칼을 만드는 재료 중 가장 사용하기에 만만했던 아카시나무도 많았다.

수원지를 관리하는 영감(지금의 내 나이보다는 젊었을 게 분명한데 우리는 그냥 수원지 영감이라고 불렀다.)의 눈을 피해 철조망을 뚫고 수원지 안으로 들어가서 아카시나무를 꺾어 와서 칼을 만들기도 했다.

수원지 숲에서 우물대다가 재수 없게 수원지 영감에게 들키면 재빨리 도망을 나와야 했다.

철조망 밖에서 망을 봐주던 친구가 재빨리 철조망의 높이를 벌려 주었다. 아래 철조망은 한쪽 발로 눌러 주고, 한 손으로는 위쪽의 철조망을 위로 당겨서 철조망의 높이를 넓혀 놓고 큰소리로 위치를 알려 주면, 나무를 꺾으러 수원지로 들어갔던 친구는 다람쥐처럼 달려 나와 철조망 밖으로 도망 나오는 것이었다.

미쳐 가지고 나오지 못한 아카시나무 가지가 아까워서 그럴 때도 있었지만, 철조망을 급하게 빠져나오다가 재수 없게 철조망 가시에 걸려 옷이라도 찢어지게 되면 애먼 수원지 영감에게 화풀이했다.

강바람을 맞으며 둑 위에 올라서서 목청껏 소리쳐 수원지 영감을 놀려 먹었다.

"수원지 영감 대가리 축구 대가리, 공이라고 찼더니 아야 하더라."

수원지 영감은 우리가 놀리든 말든 제 할 일을 하고 있었으므로 놀려 먹기에 시들해진 우리는 대장이 알려 준 집합 장소로 몰려갔다,

공설 운동장 본부석 건물 2층이 우리의 집합 장소였다.

영환이 형은 모여든 올망졸망한 졸개들에게 편을 가른 다음 계급장을 달아주는 것으로 전쟁놀이의 준비가 시작되었다.

영환이 형은 조교가 되어 본부석 2층 난간에서 아래 바닥으로 뛰어내리는 시범을 보여주고 난 뒤 우리에게 2층에서 뛰어내리게 했다.

어린 나이의 우리가 2층에서 뛰어내리자면 상당한 용기가 필요했다.

나중에 뛰어내리는 게 유리할 것 같다는 판단을 한 우리는 서로의 눈치를 보면서 뒤로 슬금슬금 빠지는 걸 보고, 영환이 형은 처음 뛰어내리는 사람에게는 바로 소위 계급장을 달아준다고 우리의 욕심을 부추기기도 했다.

용기를 낸 우리 중의 누구 하나가 먼저 뛰어내리면 그다음부터는 자동

이었다.

높은 나뭇가지 위의 둥지에서 원앙새 새끼가 부화해서 자라난 뒤, 어느 날 둥지를 떠나야 할 때가 되었을 때, 그 높은 둥지에서 바닥으로 풀쩍 풀쩍 뛰어내리는 원앙새 새끼들 모습을 티브이에서 본 적이 있는데, 본부석 2층에서 아래 바닥으로 뛰어내렸던 우리의 모습도 그랬을 것이다.

영환이 형은 우리가 뛰어내리는 방법이라든지 대담성 같은 것을 기준으로 바로 계급을 정해주었고 우리 중 누구 하나 영환이 형의 결정에 불만을 말하는 애가 없었다.

우리는 2층에서 뛰어내릴 때마다 진급이 되었고, 이등병부터 시작된 계급이 대위 정도의 계급으로 바뀔 때쯤이면 까짓것 2층에서 뛰어내리는 것은 식은 죽 먹기보다 쉬워지기 마련이었다.

이윽고 일등병부터 대위 계급장까지 부여받은 우리는 두 패로 나눠 전쟁을 해야 했다.

본부석 2층으로 올라가는 계단은 건물의 양쪽에 있었으므로 각각 계단 하나씩 배당받은 우리는 상대편 계단을 이용해서 2층 본부석에 먼저 올라가는 패가 승리하는 것이었다.

패거리 중에서 칼싸움을 가장 잘하는 병사가 계단 입구를 지키도록 훈련을 받았지만, 계단을 지키다가 상대편에게 당하는 것보다 적당히 꾀를 피워 눈치껏 상대편의 본부에 먼저 뛰어 들어가는 공을 세우면 훈장도 받고 진급을 할 수 있었으므로 스스로 나서서 계단을 지키겠다는 병사가 없었다.

서로 미루다 전쟁놀이가 시들해지는 눈치가 보이면 영환이 형은 우리에게 단체 기합을 준다면서 '엎드려뻗쳐'나 '선착순 달리기' 따위를 시키기도 했다.

 나중에 군에 가서 겪어보니 영환이 형이 우리에게 가했던 기합과 다를 바 없다는 것을 알게 되었다.

6. 공설운동장

동네 친구들과 여럿이 모여 놀 때는 공설운동장은 좋은 놀이터였지만, 우리 또래 누구든 혼자서는 마음 놓고 놀 수 있는 만만한 장소가 아니었다. 대낮이라도 혼자서는 텅 비어 있는 운동장에 선뜻 들어가기가 주저되던 곳이었다.

여럿이 어울려 놀 때는 모르고 있었지만, 노는데 잠차 져서 친구들이 하나둘 제집으로 가 버린 줄도 모르고 있다가 주위가 너무 조용하여 문득 고개를 들어 보면, 운동장 삼면을 감싸듯 줄지어 늘어서 있는 초록색이어야 할 소나무 잎이 저녁노을 빛에 불그스름하게 바뀌어 있는 걸 보게 되고, 바람 소리도 유난히 더 요란하다는 걸 느끼게 되었다.

때맞춰 숲속에서 까마귀 울음소리가 들려 왔으므로, 기분이 싱숭해지고 섬뜩하게 느껴지는 두려움에 서둘러 집으로 돌아가려고 마음을 먹었다.

입구 쪽으로 서너 발짝도 옮기기 전에, 조금 전까지 불어대던 바람 소리가 뚝 그쳤고, 운동장도, 소나무 숲도 일순 고요한 정적에 휩싸였다.

생각하지 않으려고 애를 써 봤지만 그럴수록 오래전부터 들어서 알고 있었던 소문이 생각났고, 무서움에 발걸음이 급해졌다.

본부석 건물과 수원지 사이의 소나무 숲속에 있는 화장실, 여자용 변소에서 달걀귀신이 나온다는 소문은 꼭 내가 겪은 사실 같아서 두려움에 심장이 크게 뛰기 시작했다.

귀신에게 봉변을 당했다는 사람이 누구인지는 알 수 없으나, 화장실에서 볼일을 보다가 달걀귀신에게 미주알(우리 고향 사투리는 '미주바리')

이 뽑혔다는 소문을 우리는 진짜라고 믿고 있었다.

어느 날, 저녁을 먹고 나서 한참이 지난 시간에 고모가 나를 데리고 집을 나섰다.

보름이 가까웠는지 둥근 달이 떠 있어서 골목은 훤하게 밝았다.

집 근처에 있는 고모 친구네로 밤마실을 가는 줄 알고 따라나섰던 것인데, 가보니까 공설 운동장 입구인 걸 알고 겁이 더럭 나서 그만 집으로 돌아가자고 했다.

"오늘부터 자전거 타는 거 배우기로 했으니까 조금만 기다려 봐라."

고모는 운동장 화장실에 달걀귀신이 사는 걸 모르는 모양이었다.

달걀귀신이 누군가의 미주알을 빼 먹었다는 소문을 이야기해 주는 게 좋을 것 같아서 말을 막 하려는데 자전거를 탄 청년이 나타났다.

고모와 청년은 뭔가 말을 나누더니 금방 달빛이 훤하게 내려 비치는 운동장으로 들어가는 것이었다.

나는 혼자 떨어져 있는 것이 겁이 나서 그만 집으로 가 버릴까 하는 생각이 들기도 했지만, 고모를 청년 옆에 두고 그냥 가버리는 것이 마음이 내키지 않았다.

이러지도 못하고 저러지도 못하고 운동장 입구에 혼자 서 있으려니 점점 더 불안하고 겁이 나서 견딜 수가 없었다.

달빛이 밝다곤 했지만 간간이 불어오는 바람에 키 큰 소나무들의 나뭇가지들이 흔들대고 있었고, 그 아래 시커멓게 웅크리고 있는 화장실의 모습을 어렴풋이 보고 나서는 온몸에 소름이 끼칠 정도로 으스스했고 무서움이 덮쳐 왔다.

화장실 쪽으로는 절대 고개를 돌리지 않을 거라고 마음을 먹었지만, 나도 모르게 자꾸 화장실 쪽을 흘끔거릴 수밖에 없어서 무서움은 더 커졌고 오줌을 지릴 지경이었다.

"고모! 집에 가자~"

있는 힘을 다해 큰 소리로 고모를 불렀으나 고모는 막 배우기 시작한 자전거 타기에 정신이 빠져서 조카의 고함 같은 따위는 들리지 않는 모양이었다.

내 고함에 신경을 쓰기는커녕 자전거를 타다가 넘어진 고모의 손을 잡고 고모를 일으켜 주는 청년의 모습이 하얀 달빛 아래 활동사진처럼 보였고, 무엇이 좋은지 깔깔대는 두 사람의 웃음소리가 본부석 벽에 부딪혀 메아리처럼 되돌아오며 윙윙거리는 소리도 들을 수 있었다.

조금 더 커서 생각해 보니 고모는 자전거 타는 게 재미있었던 게 아니고, 자전거 타는 거 가르쳐 준답시고 은근슬쩍 엉덩이를 만지던 남자친구의 손길을 즐기고 있었을 거라는 생각도 들었다.

달걀귀신 말고도 또 무서운 광경을 목도한 적이 있었다.

몹시 더운 여름이었는데, 아버지가 고기잡이하러 가자고 해서 야밤에 집을 나섰다.

밤에 고기를 잡으러 갈 때면 최소한 세 명이 가야만 나도 고기잡이를 할 수 있었기에 공장에 일하러 나오는 수습공을 꼭 데려가야 했는데 그날은 갑자기 가게 되었기에 아버지와 나, 둘만 집을 나섰다.

동생은 어지간해서는 고기잡이에 따라나서지 않았고, 동생이 따라나서면 석유통을 서로 들지 않으려고 티격태격 했으므로 나는 동생이 고기잡이에 끼이는 걸 싫어했다.

집을 벗어나자마자 세상은 칠흑같이 어두웠다.

신작로 변의 변변찮은 가게들도 불을 끈 지 오래되었는지 신작로도 캄캄했고 지나다니는 사람들도 보이지 않았다.

공설 운동장 입구에는 도로 쪽으로 대문이 나 있는 집은 여관 하나와 그 아래 외딴 가옥이 한 채 있었다.

어두운 밤이어서 집 뒤쪽에 있는 키 큰 소나무들이 지붕 위로 시커먼 모습으로 바람에 가지가 흔들리고 있는 걸 보여주고 있어서 괜히 으스스한 느낌이 들어 아버지 옆에 바짝 붙어 앞만 보고 걸었다.

넓은 공터를 끼고 앉은 맞은편의 칙칙한 전도관 건물을 지나칠 때는 보고 싶지 않은 곳이어서 고개를 외로 꼬고 얼른 지나치자 이내 공설운동장 입구 양쪽에 기둥 두 개만 덩그렇게 서 있는 모습이 보였다.

삼면을 소나무들이 둘러싸고 있는 운동장의 왼쪽 중간에 2층 본부석의 시꺼먼 형체도 보였다.

당연히 아무것도 보이지 않을 거라고 여겼던 내 시야에 운동장 끝 쪽에 희미하게 천막 같은 것이 줄지어 늘어 서 있는 게 보였다.

예상치 않았던 물체를 본 순간 가슴이 철렁 내려앉았고, 그것이 운동회 같은 때 흔히 볼 수 있었던 천막 같은 거라서 일단 안심은 되었지만, 그래도 여러 채가 줄지어 서있는 것이 이상하다는 생각이 들었다.

100m가 좀 넘는 운동장 끝까지의 거리는 금방 갈 수 있는 거리였고, 우리는 천막 앞에 도달했다.

운동장 안쪽을 향한 한 면만 열어둔 채 3면을 휘장으로 둘러친 여러 채의 천막들은 가끔 불어오는 바람에 휘장이 펄럭대고 있었고, 어느 천막에도 인기척은 없었다.

무슨 천막인지 궁금했는지 한 천막 앞에서 멈춰선 아버지는 담배를 꺼내 물고 성냥불을 켰다.

순간 성냥불에 천막 안에 놓여 있는 물체의 모습이 설핏 드러났다.

나만 본 것이 아니고 아버지도 물체의 모습을 보신 모양이었다.

혼잣말 같았지만, 아버지의 목소리가 떨렸고, 나도 머리카락이 쭈뼛 서는 느낌을 받았다.

아버지는 내가 들고 있는 석유통에다 횃불 봉을 넣어 석유를 묻힌 다음 불을 붙이셨다.

꺼먼 그을음이 바람에 날리고 주위가 환해지며 천막 안 바닥에 줄지어 있는 물체의 형체가 눈에 들어왔다.

“어이쿠! 이게 다 뭐냐?”

아버지의 놀란 음성을 들으며 나도 모르게 아버지의 등 뒤에 몸을 숨겼지만 놀란 나머지 심장이 쿵쾅거리며 뛰는 걸 멈출 수가 없었다.

천막 바닥에 깔아놓은 광목 위에 늘어놓은 것은 사람의 뼈였다.

그게 사람의 뼈라는 걸 알 게 해준 것은 우리가 해골바가지라고 부르기도 했던 머리 부분의 뼈가 온전한 채 놓여 있는 걸 보았기 때문이었다.

인체 모양의 뼈 구조 같은 것을 그림으로 보았지만, 실물을 직접 본 것은 처음이었다. 그것도 한두 개가 아니고 셀 수도 없이 많은 뼛조각들이 바닥에 줄지은 듯 깔린 걸 보고 말았으니 그 충격이 어땠는지, 직접 보지 않은 사람은 상상이 되지 않을 것이다.

아버지는 천막에서 떨어진 곳으로 나를 데리고 나와 잠시 주춤거리고 있었다.

나도 아버지의 눈치를 보면서 가시지 않은 두려움으로 숨을 죽이고 있었다.

머리 위에서 들려오는 소나무 가지 부딪치며 솔잎들 서걱대는 소리가 무섬증을 더 몰고 왔다.

"아버지, 오늘은 그냥 집으로 갑시다."

나는 캄캄한 소나무 숲을 지나갈 자신이 없었고, 고기잡이할 마음도 가셔져 얼른 집으로 돌아가고 싶은 생각밖에 없었다.

"어, 그러자."

어른이었지만, 아버지 역시 무서웠던지 내 말이 떨어지기 무섭게 발길을 돌리는 것이었다.

이튿날, 학교 가는 길에 동네 사람들의 이야기를 듣고 운동장에서 보았던 뼈가 무엇인지 알게 되었다.

몇 년 전 전쟁 중에 국군에게 쫓기던 인민군이 민간인들을 끌고 가다 힘에 부치자 한꺼번에 총으로 쏴 죽인 후 생매장했다고 했는데, 이제 그 유골을 찾아낸 단체들이 연고자들에게 돌려주기 위해 임시로 운동장에 모아 두었다는 것이었다.

유골들은 일주일 정도 운동장에 머물렀지만, 우리는 한동안 운동장 입구에도 얼씬대지 않았다.

공설 운동장은 이래저래 내 어린 가슴에 무서움과 두려움을 주던 장소였다.

7. 이성에 눈 뜨던 시기

어정뜨기로 학교에 다니던 중에 대수롭지 않은 것 같으면서도 그렇지만은 않은 사건을 경험했다.

언제부터였는지는 몰라도 나는 권 기자 아저씨의 딸인 연상의 여인은 까맣게 잊고 있었다.

학교에 다니면서 가만히 보니까 학교에는 예쁜 여자애들이 많았고, 우리 반에도 깜찍하고 예쁜 애가 있었기 때문에, 저쪽이나 이쪽, 어느 쪽이든 어차피 그림의 떡이라면, 그래도 옆에서 자주 쉽게 볼 수 있는 이쪽에 있는 그림의 떡에 침을 흘리는 게 덜 피곤했을 터이고 실속이 있을 것이란 판단을 했을 것이다. 그래서 권 기자 아저씨의 딸인 연상의 여인은 일찌감치 포기했던 게 아닌가 싶다.

그런 걸 품고 있었는지는 모르겠으나, 사나이 순정 같은 건 초다듬에 팽개쳤든 게 분명했다.

예쁜 애이긴 했지만, 쉽게 접근을 해서 이야기를 나누고 하는 그런 대담한 짓은 할 수 없었고, 그냥 마음속으로 나중에 어른이 되면 저 정도 예쁜 여자와 함께 살아야 하겠다는 생각 정도는 하고 있었다.

여기서 잠깐, 내가 조숙하여, 여자에 대한 생각을 너무 어린 나이에 하고 있었던 것인지 친구들에게 한번 물어보고 싶다.

우리들은 거의 다 나처럼 어머니를 따라서 여탕에 목욕하러 간 경험이 있을 것이다.

그렇다면, 어머니의 나신裸身도 마음 놓고 구경해 보지 못했던 처지에, 동네 아주머니나 이웃집 누나들의 벌거벗은 모습을 훔쳐보고 난 그때의 기분이 어땠는지 궁금하다.

안 보는 척하면서, 칸을 막아 구분을 해 놓긴 했지만, 남탕과 공동으로 사용하는 냉수 탕으로 찬물을 뜨러 가는 척하면서 힐끔, 이웃집 누나의 봉긋한 가슴을 훔쳐보다가 누나와 눈이 마주쳤을 때의 그 짜릿한 어색함, 얼른 시선을 거두는 척하면서 다시 훔쳐본 누나의 모습, 벌렁벌렁 뛰기 시작한 심장을 가라앉히느라 애꿎은 찬물만 서너 바가지 덮어 써보지만 시선이 닿는 곳마다 사방에 늘려 있는 게 여자들의 나신이었으니 아무리 나이가 어렸던 때라고 해도, 내 것과는 전혀 다른, 이성의 그것에 대한 관심은 버릴 수가 없었을 것이다.

이웃집 누나의 몸을 훔쳐보고 난 아들의 속앓이를 짐작하지 못하고 어머니들은 다시 또 아들의 손을 끌고 여탕으로 갔던 이유는 무엇이었을까?

아버지보다 때를 잘 밀었으므로 본전을 뽑을 수 있었기 때문에?
에이, 그건 아닐 것 같다.

어머니는 세상의 모든 여성은 다 똑같다는 걸 미리 아들에게 알려줘서 장래 아들이 색시를 구할 때 까다롭게 굴지 말라는 교훈을 주고 싶었기 때문은 아니었을까?

아니면, 어릴 때부터 보고 싶은 걸 미리 실컷 보게 해서 아예 여자의 몸을 보는 것을 질리게 만들어 장래 아들이 딴생각을 못 가지게 면역력을 길러 주자고 했던 것일 수도 있겠다.

둘 다 아니면 그만이고,

다시 본 이야기로 돌아가자.

2학년 초였다고 기억을 하는 그날, 나는 여탕이 아닌 곳에서 여체女體의 일부분을 봐버렸고, 그것 때문에 몸살을 앓기 시작했다.

'시작했다'라는 말만 하고 '끝났다'라는 말을 하지 않는 것은. 그때 우연이었지만, 여체의 일부를 봐버린 그 순간을 지금도 기억해낼 수가 있고, 그러다 보면 어느새 송진 냄새가 코끝을 간질이고 미루나무 하얀 꽃가루가 나푼나푼 날리는 수원지 정문 앞의 오솔길에서 서성대고 있는 어린 시절의 나를 상상 할 수가 있기 때문이다.

우리 집에서 학교로 가는 길은, 대문을 벗어나자마자 군청 담을 끼고 돌아 그냥 신작로를 쭉 따라 바로 교문 앞으로 가면 되는 것이었지만, 우리 집 근처나 더 안쪽, 소전거리 쪽에 사는 학생들은 대부분 가교사와 가까운 후문을 이용하였다..

군청 정문 맞은편에 솔밭이 시작되는 곳에 오솔길이 나 있었고, 그 길을 따라가면 수원지와 신작로 사이의 웅덩이를 지나야 했다.
장마철이 아니면 웅덩이는 신작로 쪽으로만 물이 고여 있었고, 수원지 쪽은 그냥 맨땅으로 남아 있었다.
물이 고여 있는 웅덩이의 수원지 쪽 끝부분이 오솔길과 물려 있었으므로 그곳은 항상 질척거렸다. 짓궂은 아이들은 그곳을 지나가는 아이들에게 골탕을 먹일 심산으로 돌멩이를 던져 흙탕물을 끼얹는 장난을 치기도 했다.

오후반이었던 그날은 날씨가 아주 좋았다.
수원지 정문 옆의 키 큰 미루나무에서 떨어져 내린 꽃가루가 멀리 떨어진 오솔길까지 날아와서 보얗게 깔려 있었다.
솔밭에서 막 벗어나서 웅덩이 쪽으로 이어진 야트막한 내리막길로 접어들었다.
등교 시간이 빨랐든지 학교로 가는 여자애 한 명만 보였다.
자세히 보지 않아도 한동네에 사는 같은 학년의 얼굴 예쁜 애라는 걸 바로 알아 봤다.
같은 반이 아니어서 친하게 지내지는 않았지만, 등하교 시에 자주 만났고, 학교 운동장에서도 자주 보는 사이였으므로 낯을 가리는 사이는 아니었다.

다섯 걸음 정도 앞서가던 여자애가 갑자기 걸음을 멈춰 섰다.
여자애를 앞질러 가기가 멋쩍기도 해서 그냥 나도 멈춰 서서 여자애가 다시 걸음을 옮기기를 기다리고 있었다.

여자애는 고개를 돌려 나를 한 번 바라보더니 거리낌 없이 치마를 걷어 올리고 쭈그려 앉더니 바로 속옷을 내리고 소변을 보기 시작했다.

남자애들은 급하면 아무 데서나 바지 단추를 열고 소변을 보는 게 예사였지만, 얼굴도 예쁜 여자애가 스스럼없이, 아무리 꼬마라곤 하지만 그래도 또래의 남자가 보고 있는 것을 무시하고 소변을 본다는 것은, 그냥 흔하게 있을 수 있는 일은 아니었다.

순간, 보지 말아야 할 것을 보고 말았다는 당혹감과 그러면서도 그걸 말끄러미 보고 있는 행위가 쑥스럽고 민망해서 슬쩍 고개를 돌리긴 했지만, 그것도 잠시였고 이내 시선은 다시 여자애에게로 향했다.

물기가 말라가고 있던 웅덩이 가장자리에 여자애의 소변이 졸졸 흘러가는 것을 보았고,

……

나는,
어쩔 수 없이, 아주 잠깐이지만,
여자애의 그것을 보고 말았다.

오래 보고 있기가 민망해서 시선을 여자애의 얼굴 쪽으로 옮겼고, 바로 여자애와 시선이 마주쳤다.

여자애는 아무렇지도 않다는 듯이 나를 보고 방시레 웃음 지었다.

나는 금방 본 여자애의 그것보다, 순진한 웃음에 그만 혼을 뺏겨 버렸다.
그날부터 내 가슴에는 새로운 '그림의 떡'이 한 점 걸리게 되었다.

어른이 되고 난 후, 그녀를 만날 기회가 여러 번 있었고, 한번은 여러 친구가 둘러앉아서 고향 이야기, 그것도 어렸을 때의 이야기를 하게 되었다.
친구들은 막 떠오른 어느 날의 과거를 회상하면서 신나게 이야기를 나누고 있었다.
추억에 잠긴 듯 가만히 친구들의 이야기를 듣고만 있는 그녀에게 슬쩍 운을 띄웠다.

"어렸을 때, 나는, 네가 창피한 행동을 하는 걸 본 적이 있었거든,"

그녀가 궁금한 표정을 잠시 지어 보였으나 이내 아무렇지도 않은 듯 무심한 표정으로 나를 바라보았다.
지극히 짧은 순간, 먹을 만큼 나이를 먹었으면서도, 가끔 잘난 체하는 그녀가 얄밉다는 생각이 들어 내가 본 걸 말해버릴까 하다가 얼른 마음을 고쳐먹었다.
그래도 한때는 내 마음속에 걸려 있었던 '그림의 떡'에게 엿을 먹일 수는 없다는 생각이 들었기 때문이기도 했으리라.

그런 속마음과는 달리, 평생 소변 한번 보지 않은 사람처럼 진지한 표정을 짓고 있는 그녀의 얼굴을 보자, 정말 실토해 버리고 싶은 마음이 다시 생겨났으므로, 목소리에 약간 힘을 실어 다시 물었다.

“뭘 봤는지 말해 줄까?”

정말 자기의 엄청난 비밀을 발설해버릴지도 모른다고 생각했기 때문일까?

나이 든 그녀가 옛날의 그때보다는 덜 순진한 미소를 지으며 대답했다.

“아니, 듣고 싶지 않아, 내가 창피할 거라면 말하지 마라.”

나는 속으로 생각했다.

‘네가 말해 달라고 해도 말할 수 없다. 죽을 때까지 나 혼자만 알고 있을게. 내 그림의 떡에 내가 똥칠을 하면 안 되잖아!’

8. 오줌빨 높이 찍기

3학년이 되었다.

고모가 알려주기를 '팔자에 여복이 많다'고 점쟁이가 말했다는데, 그게 맞는 건지 담임 선생님은 아주 예쁜 여선생님이었다.

예뻐서 그랬는지 담임 선생님의 주위에는 남자들이 많이 얼쩡거리는 것 같았다.

특히 국화 반의 담임 남자 선생님은 표가 날 정도로 우리 담임 선생님의 주변에서 얼쩡거렸고 우리 반 애들 대부분은 그걸 질투하고 있었다.

그런 담임 선생님을 언감생심, 내 심장에 걸어둘 '그림의 떡'으로 생각한다는 것은 엄청 건방지고 가당치 않은 노릇이었으므로 몇 날 몇 밤 생각해보다 일찌감치 포기하기로 했다.

꿩 대신 닭이라고, 담임 선생님의 사촌 여동생이 우리 동네에 살고 있었고, 담임 선생님 대신 나는 그 가시나에게 눈독을 들이고 있었다.

공설운동장 입구 사거리, 우리 집으로 가는 골목 초입에 있는 2층 적산 가옥에 그 가시나가 살고 있었다.

사촌 언니를 닮아서 그런지 볼 때마다 예쁘다는 느낌을 갖게 했다.

나 보다 한 학년 아래였는데, 그 가시나의 오빠가 나보다 2년 선배였다.

바나나 빵집의 영환이 형이 이사를 가버리고 난 뒤, 우리는 전쟁놀이 대신 다른 놀이에 빠져 있었고 그 가시나의 오빠도 함께 어울리고 있었다.

우리는 동이 트기 전 꼭두새벽에 군청 담 옆에 모여 하루의 첫 시합을 했다.

밤새 참고 있었던 소변을 잔뜩 모아 온 우리는 군청 담벼락 앞에 한 발짝쯤 떨어져 쭉 늘어서서 대장의 명령을 기다렸다.

전날 새벽에 우승을 한 사람이 오늘의 대장이었다.

대장의 명령을 기다리며 우리는 잔뜩 성이 나 있는 고추의 끄트머리를 양손의 엄지와 검지로 꾹 눌러 잡고 군청의 블록 담벼락을 노려보며 서 있었고, 대장은 손톱만치라도 담벼락 쪽으로 가깝게 붙어 서 있는 애가 있는지를 확인한 후 큰 소리로 명령을 내렸다.

시작! 하는 대장의 명령이 떨어지게 무섭게 우리는 엉덩이를 뒤로 잔뜩 뺐다가 앞으로 튕기면서 소변을 보기 시작했다.

한번 엉덩이를 뒤로 빼고 튕겼다고 해서 마음먹은 대로 오줌 줄기가 높이 올라가지 않았으므로 소변을 보는 동안 계속해서 엉덩이를 뒤로 뺐다 튕기기를 반복해야 했다.

그렇게 한다고 해서, 오줌 줄기가 닿는 위치가 높아질 리가 없는 걸 알면서도 오줌을 다 눌 때까지 그 짓을 계속해대는 것은 일등을 해보고 싶은 욕심 때문이었다.

기를 쓰고 하는 것 같았지만, 그 가시나의 오빠는 한 번도 일등 하는 걸 보지 못했다.

그 가시나한테 마음이 있었던 내가 도와주고 싶어도 '오줌발 높이 찍기' 만큼은 도와줄 방법이 없었다.

군청 블록 담벼락에 그려져 있는 그 가시나 오빠가 그린 오줌 그래프를 보자니 한심한 생각이 들어서 내가 같잖은 충고를 했다.

"자기 전에 물 좀 많이 마시고 자 봐라."

그 가시나 오빠가 순진하게 대답했다.

"나, 물 마시는 거 안 좋아한다."

그 대답에 쓸데없는 걸 물어봤다.

"네 동생도 물 싫어하나?"

2년 선배는 쪼다 같은 대답을 했다.

"몰라. 그 가시나, 자기 전에 물 마시는 거 한 번도 못 봤다."

할 말이 없어진 나는 속으로 구시렁대고 말았다.

'시팔, 그 가시나 데리고 나와서 '오줌발 높이 찍기' 할 일이 있나? 쓸데없는 건 뭐 하러 물어보고 지랄을 떨까?'

한동네에 살면서도 그 가시나는 내게 눈짓 한번 주지 않았다.

그 가시나가 사는 적산가옥에 손가락이 여섯 개인 우리 반 여자애가 살고 있었고, 나는 친하지도 않은 육손이한테 수작을 걸었다.

"숙제하러 너의 집에 가면 안 되나?"

눈치가 없는 육손이 대답했다.

"오늘 숙제 있나? 선생님이 오늘 숙제 안 내줬는데……"

김이 새버린 나는 집으로 가기가 서운해서 적산 가옥 근처에서 얼쩡거렸다.
새벽에 찍어 발랐던 소변 자국은 어느새 말라버려 표시도 나지 않았고, 우두커니 담벼락에 기대 서 있자니 그 가시나 오빠가 털레털레 걸어오고 있는 게 보였다.
반가운 마음에 그 가시나 오빠에게 같이 놀자고 꼬드겼다.
"땅따먹기 하자."
순해 빠진 그는 내 제안을 선뜻 받아들였다.

땅따먹기는, 사금파리를 동그랗게 만든 것이나, 그때는 구하기 쉽지 않았던 양철로 만든 사이다나 콜라 병뚜껑에 적당히 흙을 넣어 무겁게 만든 것을, 미리 금을 그어 내 땅이라고 정해둔 곳에 시작점을 표시한 곳에 병뚜껑을 놓은 후, 엄지손가락 첫 마디 못 미친 곳에 검지나 중지를 바짝 붙였다가, 툭! 소유권이 없는 땅으로 병뚜껑을 튕겨서 보내는 것으로, 상대편의 땅이나, 정해 놓지 않은 곳으로 병뚜껑이 튕겨나가면 실패를 하는 것이고, 그렇지 않으면 병뚜껑이 튕겨나가 멈춰 선 곳까지의 땅을 따먹는 놀이였다.

오줌 줄기 쏘아 올리는 것만 맥을 못 추는 것이 아니라, 그 가시나의 오빠는 제대로 하는 것이 없었다.
상대가 안 되니 놀이가 재미가 있을 리 없었지만, 그 가시나의 집 근처에서 얼쩡대고 있다 보면 제 오빠를 데리러 오는 그 가시나를 만날 수 있을지 모른다는 기대감으로 억지로 몇 판 더 놀아 주고 있었다.

어느새 해가 기울었는지 2층 적산가옥의 그림자가 기다랗게 길 위에 드러누워 있었다.

하마 모습을 보여 줄까 기대했던 그 가시나의 모습은 오늘도 보기가 틀린 것 같다고 체념을 하고 집으로 돌아가야 했다.

"재미없다. 그만하고 집에 갈란다."

시무룩해진 나는 한마디 하고 집으로 오면서 쓸데없이 너무 오래 놀아 버린 걸 후회했다.

학교에 자주 찾아오는 어머니의 체면을 봐서 분단장이라도 한 번 해봐야 하는데, '쓸데없이 가시나 생각이나 하면서, 하라는 공부는 죽어도 하지 않는 내게 그런 기회가 올까?'

생각만 한다고 될 리 없는 욕심을 품고 집으로 돌아가는 발걸음이 무거운 하루였다.

9. 외팔이 뱀 장수

식성이 까다로운 나는 음식을 가리지 않고 잘 먹는 사람을 부러워하면서도, 평소 먹어 보지 않았던 음식이나, 내 기준으로 별난 재료를 사용하여 만든 음식이라는 판단이 되면 강박감이 있다고 오해를 받을 정도로 철저히 외면하고 만다.

나의 이런 습성이 어떻게 생겼는지 알 수 없지만, 어쩌면 아주 단순한 사건 때문에 생긴 게 아닐까 하는 생각이 들기도 한다.

읍내로 가는 길목인 배다리를 건너기 전에 뱀탕집이 있었다.

판자로 만들어 2층으로 올려붙인 것 같은 좁은 가게의 진열장의 유리병 안에는 술에 담겨있는 뱀들의 모습을 볼 수 있었는데, 오래되어 그런 건지 유리병 안의 액체는 누르스름하게 변해 있는 것이 대부분이었고, 뱀의 형체가 뚜렷하지 않은 것도 있었다.

보기에 좋은 모습이 아니라서 관심을 가진 사람이 아니고는 뱀술이 담긴 유리병을 일부로 자세히 들여다보는 사람은 거의 없었을 테니 뱀탕집 주인이라고 해서 뱀술이 담긴 유리병을 깔끔하게 정리하지도 않았을 것이다.

가게의 입구 쪽의 화덕 위에는 뱀탕이 분명할 것 같은 액체가 끓고 있는 솥이 항상 얹혀 있었고, 그 앞을 지나갈 때마다 맡게 되는 누릿한 냄새는 그러잖아도 끈적대는 날씨를 더 후텁지근하게 해서 뱀탕집은 여름철에만 영업을 했던 것 같은 기억으로 남아있다.

체격이 왜소했을 뿐 아니라 왼팔 한쪽이 없는 뱀탕집 주인이 오른손으로 오래된 자전거를 손질하는 모습을 자주 볼 수 있었는데, 우리들은 하나뿐인 팔로 어떻게 자전거를 타는지 궁금해 했다. 우리들의 궁금증을 비웃듯 외팔이 아저씨는 한쪽 손으로 자전거 핸들을 잡은 채 자전거를 앞으로 슬쩍 밀어낸 후 잽싸게 안장 위에 올라 타서는 아무렇지도 않게, 정말 양손을 다 쓰는 사람과 하나도 다를 게 없는 모습으로 유유히 페달을 밟으며 신작로를 따라가는 것을 보면 우리는 서커스 단원의 묘기라도 보는 것 같은 기분에 빠져 몇몇은 외팔이 아저씨의 자전거 뒤를 쫓아가기도 했다.

학교를 파하고 집으로 돌아와 대문으로 들어서면서 보니까 담에 자전거가 기대 서 있는 것이 보였다. 뱀탕 집 외팔이 아저씨가 뱀을 가지고 오면서 타고 온 자전거임이 분명했다. 공장 건물을 돌아 마당으로 들어서니 여러 사람이 모여서 웅성거리고 있는 모습이 보였다. 짐작했던 대로 외팔이 아저씨가 중간에 서 있는 게 보였고 양쪽으로 사람들이 나누어 서 있었는데, 다가가 보니까 외팔이 아저씨의 발아래 뱀을 가두어 담는 철망으로 앞을 막은 나무 상자가 놓여 있는 것이 보였다.

상자 안에는 뱀이 들어 있을 것이었고, 똬리를 틀고 있는 뱀을 보고 싶지 않다는 생각이 들어서 모여 있는 사람들의 뒤를 돌아 지나가려는데 외팔이 아저씨의 목소리가 들렸다.

"일자로 똑바로 펴기만 해 보라니까, 뱀을 공짜로 준다고."

송 씨 아저씨의 목소리가 들렸다.

"몇 사람이 같이해도 되나?"

외팔이 아저씨가 목청을 높였다.
"열 명도 좋소. 밑져봐야 본전이니 한 번 해보소."
무슨 이야기인지 호기심이 생긴 나는 되돌아서서 어른들 틈새로 고개를 디밀었다.
외팔이 아저씨가 끝이 기역으로 꺾인 굵은 쇠꼬챙이를 상자 안으로 집어넣어 뱀을 꺼내려고 애를 쓰고 있는 모습이 보였다.
"독이 없는 구렁이라서 물려도 괜찮으니까, 누가 좀 도와주소. 워낙 큰 놈이라 혼자 꺼내기가 버겁네요."
송 씨 아저씨가 거들어 상자에서 꺼낸 뱀은 지금까지 본 적이 없는 큰 구렁이였다.
어른 팔뚝보다 굵은 데다 햇볕을 받아 그런지 흰색에 가까운 노란색으로 번들거리고 있었으며 드러난 몸체의 길이는 구불부불 함에도 2m는 넘어 보였다.
구렁이를 본 사람들이 놀라서 내지르는 탄성이 쏟아졌다.
붙잡힌 지 오래되고 시달림을 당했는지 구렁이는 힘이 없어 보였지만, 그런데도 고개를 치켜들고 혀를 날름거리는 모습을 오래 지켜볼 수 없었다.
외팔이 아저씨가 신이 난 듯 떠벌렸다.
"이리 큰 구렁이 본 적이 있소? 자전거에 싣느라고 생 똥을 쌌구먼."
구렁이의 실체를 본 사람들은 외팔이 아저씨의 내기에 응할 자신이 없어졌는지 모두 발뺌을 했고, 그럴 줄 알았다는 듯이 송 씨 아저씨의 도움을 받은 외팔이 아저씨는 구렁이의 몸통을 들기 좋은 크기로 꽁꽁 묶었다. 몸통을 묶지 않으면 구렁이를 산채로 가마솥에 넣기가 어려워서 그런다고 했다.

구렁이는 안채에서 떨어진 뒤란 한 쪽에 만들어 둔 화덕 위의 큰 가마솥으로 옮겨졌고, 외팔이 아저씨는 화덕에 불을 지피고 뱀탕을 끓이는 준비 작업을 마무리했다.

언제부터인지 모르겠으나 아버지는 뱀탕을 자주 드시고 있었다.

학교를 파하고 집에 돌아오면 뱀탕 끓이는 특유의 누린내가 코끝에 매달렸고, 그 냄새가 가시지 않아 음식을 먹는 게 싫었고, 밥 먹는 시간이 고역이었다. 둥그런 밥상에 둘러앉은 동생들은 아무렇지도 않게 밥을 먹었지만, 나는 아버지의 젓가락과 숟가락이 닿은 반찬을 함께 먹는 것이 께름칙하여 도저히 같이 밥을 먹을 수가 없었다.

어머니나 고모에게 김치 한 가지만이라도 내가 먹을 걸 따로 담아 달라고 부탁하여 그걸 들고 식구들과 멀찌감치 떨어져서 밥을 먹는 나를 보고 별나다고 했으나, 비위에 맞지 않는 음식은 보기만 해도 속이 메스꺼운 건 나 자신도 어쩌지 못했다.

가려 먹는 게 없었던 아버지는 개고기 따위의 재료를 집 근처에서 장만하셨다. 개를 몽둥이로 패서 잡거나 닭의 모가지를 비틀어 잡는 따위, 수시로 끔찍하거나 징그러운 모습을 봤던 나는 그런 음식들을 혐오하게 되었고, 뇌리에 깊이 박힌 기억 때문에 채소 이외의 음식은 기피하게 된 원인이 된 모양이었다.

아주 어렸을 때부터 나는 혐오식품이 아닌 쇠고기, 돼지고기도 싫었고, 민물고기나 바다 생선으로 만든 반찬은 어지간해서는 손을 대지 않았다.

절로 들어가서 중이 되라고 했을 정도로 까다로웠던 내 식성은 술을 마시면서 조금씩 변하기 시작했다.

깍두기를 안주 삼아 소주를 마시는 내게 억지로 회를 먹게 한 친구도 있었고, 해장하자면서 북어탕이나 순댓국을 권한 친구 때문에 지금은 그런대로 여러 가지 음식을 잘 먹는 편이다.

그렇지만 아직도 먹지 않으려 고개를 돌리는 음식이 많다.

추어탕을 비롯한 민물고기로 만든 음식과 이름을 제대로 알지 못하는 바다 생선, 그리고 개고기는 말할 것도 없거니와 염소나 토끼 따위 그리 흔하지 않은 육식 동물을 재료로 사용한 음식은 아예 거들떠보지도 않는다.

나이 칠십을 넘겼으니 얼마나 더 오래 살는지 알 수 없으나, 어쩌면 지금까지 살아온 대로 계속해서 싫어하는 음식은 먹지 않을 게 분명하다.

음식을 가려 먹지 않는 아내가 많은 불편과 손해를 보고 살았겠지만, 쉽게 식성을 바꿀 수 없고, 생각도 바꿀 수 없으니 여태 살아왔던 것처럼 이해해주기만 바랄 뿐이다.

10. 소싸움 터의 싹불이

오전반 수업을 마치고 집으로 가는 길의 어느 봄날 낮 한때.

코끝을 간지럽히는 솔솔바람에 졸음이 몰려왔고, 봄을 타는지 깨나른한 몸은 걸음조차 걷기가 귀찮아서 적당한 풀숲이라도 있으면 퍼져 앉아서 쉬고 싶은 생각이 드는 날이었다.

졸음을 참으며 반쯤 눈을 감은 채 터덜터덜 걸음을 옮기던 중, 잠결에 듣듯 어렴풋이 함성이 들려왔다.

퍼뜩 눈을 크게 뜨고 소리가 들려오는 쪽으로 고개를 돌려 보니, 키 큰 미루나무가 눈에 들어왔고, 눈에 띄게 짙어진 파릇파릇한 잎사귀 사이 높은 가지 위에서는 까치 두 마리가 집 수선을 하는지 부산을 떨고 있었다. 미루나무 맨 꼭대기 가지 위에는 파란 하늘이 누워 있었고 그 하늘엔 구름이 한 점 매달려 있었다.

나뭇가지 사이로 옮겨 다니며 부산을 떨며 우짖는 까치 울음 사이로 이번에는 아주 또렷하게 여러 사람이 한꺼번에 내지르는 함성이 다시 들려왔다.

함성은 운동장 너머 강변 쪽에서 들려오는 것 같았다. 함성을 무시한 채 그냥 집으로 돌아가 버린다면 뭔가 큰 손해를 볼 것 같은 기분이 들었다.

졸음은 어느새 달아나 버렸고, 발걸음은 저절로 솔밭 쪽으로 향하고 있었다.

소나무 사이사이로 햇빛이 빗금으로 내려앉아 일렁댔고, 그 위로 연둣빛 봄바람이 살랑거리고 있었다.

둑에 가까이 다가가자 사람들의 웅성대는 소리에 이어 또 한 번 함성이 터졌다.

급한 마음에 한달음에 둑 위로 올라섰다.

강으로 향한 둑의 경사면에 사람들이 줄을 지은 듯 늘어앉아 있었고, 고개를 들어 강변 너머 강물을 바라보니 쏟아져 내리는 햇발이 찰랑대는 물결 위로 보석처럼 반짝이고 있었다.

둑과 강 사이 반쯤 모래가 섞인 강펄에는 황소 두 마리가 싸움을 하고 있었다.

두 마리의 황소가 머리를 잔뜩 숙이고 뿔을 맞댄 채 힘에 겨운지 콧김을 뿜어내고 있는 모습이 한눈에 들어왔다.

소의 주인인 듯한 두 사람이 싸우고 있는 소의 옆에서 분주히 움직이며 연방 무어라 소리를 지르며 팔을 머리 위로 치켜들어 흔드는 모습도 보였다.

밀려나지 않으려고 안간힘을 쓰고 있는 황소의 뒤 발꿈치 쪽에서 모래

흙이 보얀 먼지를 일으키며 시야를 가렸지만, 구경하는 사람들은 흥이 날 대로 나서 환호성을 지르고 있었다.
두 마리의 황소는 주둥이를 땅바닥에 닿을 듯이 잔뜩 고개를 숙인 채 뿔끼리 맞물려 버티고 있던 시간이 끝났다 싶은 순간, 왼쪽의 약간 더 붉은 빛을 띤 황소가 고개를 강 쪽으로 빼내더니 잽싸게 몸을 돌려 도망을 가기 시작했다.

모래보다 자갈이 많은 강펄이어서 도망가는 황소가 뒷발로 차내는 자갈이 강으로 떨어지면서 강물이 튀어 올랐고, 도망가는 황소를 쫓아가느라 허옇게 입김을 내 뿜으며 쫓아가고 있는 황소의 식식거리는 숨소리가 멀리서도 들렸다.

자갈이 튀고 모래가 날리는가 했더니, 쫓기는 놈은 급한 김에 강으로 뛰어들었고 쫓는 놈도 덩달아 강물로 뛰어드는 공방전을 보며 사람들은 연방 탄성을 토하고 있었다.

그 순간, 솔밭 입구 쪽에 천막으로 만든 본부석 뒤편 소나무에 매달아 둔 스피커에서 두꺼운 천 찢어지는 소리가 터져 나오더니 이어서 잡음이 많이 섞인 다급하면서도 굵직한 남자의 목소리가 흘러나왔다.

"싹불아! 싹불아! 황소가 위험하다. 암소 준비해라."

둑의 경사면에 줄지은 듯 늘어서, 앉았다 일어서기를 반복하며 황소들의 공방전을 보며 탄성을 지르던 사람들은 탄성 대신 일시에 웃음을 토해내었고, 안내 방송을 들은 싹불이가 솔밭 속에서 잽싸게 암소를 끌고 나왔다.

싹불이는 여유 있게 말아 쥔 고삐의 여분으로 재치 있게 암소의 엉덩짝을 찰싹찰싹 때리면서 빠르게 암소를 몰았다.

보고 있던 구경꾼들의 박수가 쏟아졌고 싹불이는 금방 쫓고 있는 황소 쪽으로 암소를 몰고 갔다.

미친 듯이 도망가는 황소를 쫓아가던 싸움에 이긴 황소가 어느새 암소를 본 모양이었다.

금방, 쫓던 기세를 누그러뜨리고 암소 쪽으로 방향을 바꾼 황소는 어느새 다가 선 암소의 꽁무니에 대가리를 박고 냄새를 한번 맡아 보고는 하늘을 향해 있는 대로 고개를 쳐들고 이빨을 드러내고 웃음을 웃는 시늉을 하는 것이었다.

싹불이는 천천히 방향을 바꾸어 아까 왔던 곳인 본부석 쪽 솔밭으로 암소를 몰아갔고, 그 뒤를 황소가 침을 질질 흘리며 따라가고 있었다.

솔밭 너머 철교 위로 기차가 지나가는 소리가 들려 왔고, 곧 고빼(차의 경상도 사투리)를 많이 단 화물열차가 느릿느릿 긴 철교 위에 모습을 드러냈다.

소싸움 구경을 하던 사람들은 기차가 지나가건 말건, 쫓겨 가던 황소가 강물로 뛰어드는 바람에 해바라기를 하며 놀던 햇피라미들이 놀라서 도망을 갔거나 말았거나 그딴 것에는 아무런 관심도 없었고 허겁지겁 암소 뒤꽁무니만 정신없이 쫓아가는 황소 구경에만 열심이었다.

본부석 뒤편 솔밭 속에는 차례를 기다리며 싸움을 준비하는 황소들이 대기하고 있었다.

어떤 싸움소의 임자는 술에 취하면 용기를 낼 것으로 생각해서 그랬는지 자주 고동 색깔의 고무 대야 가득 막걸리를 부어놓고 소가 마시는 모습을 보고 있기도 했고, 또 어떤 소는 연발 콧김을 내 뿜으며 왕방울만큼 큰 눈만 끔뻑이고 있는 모습도 보였다.

싹불이는 솔밭 속으로 몰고 온 암소의 고삐를 소나무에 메어 놓은 다음, 바로 사랑에 눈이 멀어 헐레벌떡 따라온 황소를 솜씨 있게 고삐로 홀쳐 잡아 임자에게 넘겨주고는 제 할 일을 다 했다는 듯이 맨땅에 주저앉아 우두커니 흘러가는 강물을 내려다보고 있었다.

싹불이가 보고 있는 강물 너머 조금 전에 기차가 지나간 철교 위에는 아지랑이가 아롱대고 있었고, 그걸 보고 있는 사이 둑 위에서는 또 사람들의 함성이 터져 나오고 있었다.

새로운 소싸움이 시작된 모양이었다.

싹불이는 또 다른 황소를 구하기 위해 암소 고삐를 사려 잡아야 할 것이었다.

어린 시절 자주 봤던 소싸움 광경을 생각하면 싹불이라는 이름이 저절로 떠오른다.

나보다 두어 살 많았을 것 같은 싹불이의 집이 어디인지, 소싸움이 없는 날에는 무엇을 하며 지내는지도 알지 못했다.

싹불이라는 이름도 짝불알의 잘못인지, 어떻게 그렇게 부르게 되었는지 그에 대해서 아는 게 아무 것도 없었다.

재작년엔가 고향 친구를 만나서 고향 이야기를 하던 중에 싹불이 이야기가 나왔고, 그가 아직 고향에서 살고 있다는 이야기를 들은 적이 있었지만, 내가 사는 거와 아무 상관없는 일이라서 그냥 흘려듣고 말았다,

오늘처럼 소싸움 구경했던 날을 기억 할 거라는 걸 짐작 했더라면 그때 싹불이와 좀 더 친하게 지낼 수도 있었을 거라는 생각도 든다.

11. 칡 캐러 갔던 날

섬진강 주변 동네마다 꽃 잔치가 벌어지고 있다는 뉴스를 접했다.

오래되어서 기억이 가물거리긴 하지만 그쪽 지방의 꽃구경은 볼만했다고 기억된다.

내가 구경 갔을 때는 꽤 쌀쌀한 날씨였음에도, 수령이 350년이 넘었다는 화엄사 각황전의 홍매가 말 그대로 철모르고 꽃을 피워서 사람들이 고고하다고 칭송해 마지않던 자태를 실제로 보여주고 있었다.

흰 눈이 내린 듯 매실 농원을 온통 뒤덮고 있었던, 넓은 해변에 몰려오는 파도 같이 봄바람에 하늘하늘 나부끼던 하얀 매화꽃들은 섬진강 변을 떠나지 못하게 발길을 붙잡기도 했다.

십리벚꽃길이라는 이름에 걸맞은 화개장터부터 쌍계사 입구까지 이어져 있는 나이 든 벚나무들이 피워 낸 연분홍 빛 꽃의 향연은 아무리 보아도 질리지 않았다.

화개 십리벚꽃길이나 섬진강 주변의 다른 고장의 환상적인 꽃 이야기가 아니더라도, 우리는 어린 시절 고향에서 보았던 화사한 벚꽃 이야기를 하다 보면, 어느새 벚나무 가지 사이로 팔랑대며 꽃잎이 떨어지듯, 꽃 이야기에서 가지 쳐 나온 주변 이야기를 덤으로 얻어서, 얼마든지 몇 날 밤을 새워도 못다 할 고향 이야기들을 기억하고 있을 것이다.

가곡동에 살았던 친구들은 동네를 감싸고 있는 강변 둑 위에 늘어서 있던 벚꽃 이야기에 열을 올릴 것이고, 내일동에 살았던 친구들은 영남루가 자기네 집 앞마당에 있는 누각이라도 되는 것처럼 누각 오른쪽 산자락 앞에 줄지어 서 있는 우람한 벚나무 가지마다 흐드러지게 피어 있었던 화사한 그 자태를 주위 사람들이 들으란 듯 자드락거리며 이야기 할 것이다.

사실, 정말 사실로 어린 우리들의 꽃구경은 별로였다.
그때까지 버리지 못하고 곧잘 사용했던 일본 말로 '사꾸라 만까이' (サクラ満開になる)간 어른들이야 꽃구경에 신이 났을지도 모르겠다.

초장에야 꽃구경이 재미가 있었겠지만, 물 탄 막걸리 몇 잔에 취해 흥얼대다 보면 짧은 봄 하루는 어느새 종남산을 넘어가고 있었고, 비로소 오늘 하루도 지나가 버린 청춘처럼 허무하다는 걸 깨닫기도 했을 어른들도 꽃구경은 마냥 신이 나는 구경거리만은 아니었을 거라는 생각도 든다.

우리는 너무 어렸고 시절은 어려웠을 때였다.

막 시작된 보릿고개로 때맞춰 밥술을 제대로 얻어먹기가 힘든 시절이었으니, 언감생심 꽃놀이는 말 그대로 같잖고 거추없는 노릇이었다.

무슨 거짓말로 뜯어낸 돈인지는 모르겠으나, 꼬불쳐 온 돈으로 사 먹었던 교문 앞 골목에서 나이든 아저씨가 팔고 있는 칡 한 동가리가 우리들의 유일한 간식이 아니었던가?

신작로에서 교문에 이르는 길바닥에도, 키 큰 히말라야시다 그늘이 드리워져 있는 학교 운동장에도 우리가 질경질경 씹어 물을 빼먹은 칡 찌꺼기가 요즘의 씹다 버린 껌처럼 너절하게 깔려 있었던 걸 생생하게 기억할 수 있다.

운동장이 지저분해진다고 그랬는지는 몰라도 학교에서는 칡을 못 사 먹게 했다.
서너 명의 칡 장수를 둘러싸고 그들이 톱으로 썰어내는 칡에서 떨어져 나오는 톱밥을 보면서 암칡이니, 수칡이니 하고 서로 우겨대다가 주번이나 선생님의 고함을 듣게 되어서야 냅다 교문으로 도망치듯 달려가기도 했다.

칡을 원 없이 먹어 보자는 깜찍한 계획과 포부로, 돌아온 일요일 우리 또래 세 명은 삽과 괭이를 들고 칡을 캐러 나섰다.
목표는 경부선 철길 너머 긴 터널이 뚫려 있는 산이었다.
산 이름도 모르고 그냥 산꼭대기에 박 장군과 손 장군이 힘자랑을 했던 곳이라는 토막土幕같은 것이 있는 산이었다. (검색해 봤더니 추화산이라고 높이가 겨우 243m밖에 안 되는 산이다)
땔감으로 어지간한 잡목을 다 걷어가 버려 거의 벌거벗다시피 한 산으로 오르자니 땀만 쏟아져 나왔고 우리가 찾는 칡은 쉽게 눈에 뜨이질 않았다.

어쩌다 칡이라고 땀 흘려 캐낸 것은, 손가락보다 가는 것이어서 씹어도 물이 나지 않고 쓰기만 해서 그냥 버려야 하는 것이었고, 그렇지 않으면, 칡 사촌도 못 되는 이름도 모르는 말라비틀어진 나무뿌리이기 일쑤였다.

우리는 차츰 지쳐갔고 점심나절에는 칡이고 나발이고 그만 산에서 내려가자고 불평들을 쏟아 내기 시작했다.

우리보다 조금 더 큰 소나무 밑 그늘에 퍼져 앉은 우리는 산 아래 경치 구경으로 그나마 물거품으로 돌아 간 우리의 계획을 조금이나마 에끼고 있었다.

강을 건너지른 철교 끝 산모퉁이를 돌아 나온 꼬리를 길게 매단 열차가 모습을 드러냈다가 금방 우리가 앉아있는 산 밑으로 사라져 갔고, 매캐한 연기 냄새를 풍기며 아까보다 더 긴 꼬리를 매단 채 연기를 내 뿜는 화물 열차가 느릿느릿 철교를 건너가는 모습도 구경했다.

이윽고 기차가 사라져 버린 철교는 그 아래 흐르는 강물에 그림자를 드리우고 조용히 서 있었고, 키 큰 소나무가 빽빽이 늘어선 솔밭 아래 강물에 햇발이 내려앉으며 부서져 비치는 반짝임, 씁쓰레한 칡을 질겅거리며 씹는 것보다 백배나, 천 배 보다 더 맛깔스러운 고향의 풍취가 그렇게 조용히 엎드려 있는 걸 그때 나는 보았던 것이다.

아! 깜빡 잊어버린 게 하나 있다.

바위 틈새에서, 혹은 가파른 산자락에서 운 좋게 땔감 신세를 면한 기뿜을 온몸으로 표현한 듯 봄바람에 수줍게 하늘거리는 참꽃 들.

칡 대신 참꽃을 따 먹다가 우연히 보았던 광경.

분홍색 꽃 이파리와 또 다른 꽃 이파리 사이로, 구도가 좋고 잘 그린 풍경화처럼 철교 위에 기차가 지나가던 지극히 짧은 순간의 그 장면을 기억하는 지금,

아련한 향수에 가슴이 먹먹해진다.

12. 오렌지주스

안개인지 스모그인지 약간 흐린 듯하지만, 그런대로 하늘은 맑다.

그 하늘을 이고 봄소식을 흩어 뿌리듯, 언제 터질지 은근히 기대를 갖게 하던 벚꽃 망울이 환한 미소를 머금고 한꺼번에 터졌다.

구경하는 것만으로도 기분이 좋아서 괜히 나무들 사이를 어슬렁거리면서 고개를 들어 꽃구경을 한다.

아직 이른 줄 알았는데 용케 꽃 냄새를 맡은 꿀벌 몇 마리가 바쁘게 꽃잎 사이를 날아다니는 것도 보인다.

잠깐의 꽃구경에, 불현듯 어린 시절의 어느 하루가 아지랑이처럼 가물거린다.

그때의 내 흔적이 남이 있을 리 없는 옛날 살던 집 근처 골목길을 하염없이 서성이다 보니 춘곤증을 견디지 못한 눈꺼풀엔 졸음이 내려앉는다.

요맘때쯤이었을 것이다.

학교를 파하고 친구들과 장난을 치면서 집으로 돌아오느라 온몸은 땀에 흠뻑 젖게 되었다.

그때 우리 눈에 엉성한 구멍가게 좌판 앞 고무대야에 담겨있는 오렌지주스에 눈이 갔다.

냉장고는커녕 변변한 냉장 시설을 구경하기 힘든 시절이었으므로 작은 구멍가게에서 냉장이 잘된 주스를 팔 리 만무했고, 우리는 그냥 고무대야에 물을 받아 그 속에 주스를 담가두고 파는 것이 당연한 줄 알았다.
부지런한 가게 주인이었다면 수시로 고무대야의 물을 바꿔주었겠지만, 그렇지 않은 대부분의 가게 주인은 점심때쯤, 혹은 더 늦게 우리가 집으로 돌아올 때까지 아침에 가게 앞에 끌어내 놓은 고무대야 속의 물을 바꾸지 않고 그대로 둔 채였을 것이었다.

친구는 그런 걸 따질 겨를도 없이 아껴뒀던 용돈을 털어서 오렌지주스를 한 봉지 산다.
우리 중 누구 하나, 오렌지는 말할 것도 없거니와 제대로 된 오렌지주스를 마셔 본 사람이 없었으므로 고무대야에서 꺼내든 비닐봉지 속의 노란 액체가 오렌지주스라고 믿고 있었다.

우리들 손바닥 크기의 삼각 비닐 팩 (그때는 팩이라는 외래어가 있는지도 몰랐고, 그냥 비닐 봉다리라고 했다) 속에 들어 있는 노란 액체는 온종일 물속에 담겨 있었는데도 미지근했지만, 우리는 애당초 찬 것을 기대했던 것이 아니었으므로 내용물 온도에 대해서는 따지지 않았다.

삼각 비닐 팩의 한 꼭짓점에 작은 구멍을 뚫어 속에 들어 있는 오렌지주스를 조금씩 오래오래 받아먹을 수 있게 하는 것은 구멍을 뚫는 기술에 달려 있었다.
바늘로 아주 조그맣게 구멍을 뚫어야 하는데 자칫 실수하여 바늘의 몸통 두께만큼의 구멍을 뚫게 되면 바로 실망을 할 수밖에 없을 만치 오렌지주스가 줄줄 흘러나오게 마련이었다.

바늘의 제일 끝 쪽, 말 그대로 첨단, 그 미세한 부분으로 뚫은 구멍을 통해 오렌지주스가 가늘게 뿜어 나와야 오렌지주스를 오래 마실 수 있고 제대로 돈 값을 치렀다는 생각이 드는 것이었다.

오렌지주스라는 그게 설탕도 아닌 당원이나 꾸라재비를 녹여 만든 물에 화학적으로 만든 오렌지 향료를 섞어 만든 액체라는 걸 전혀 몰랐고, 설혹 알았다고 하더라도 누구 하나 시비 걸 사람은 없었다.

비닐 팩을 감싸 쥔 손아귀에 힘이 들어가면 내용물이 뿜어 나오는 줄기가 조금 강해지고, 반대로 손아귀의 힘을 빼고 있으면 비닐 팩의 오렌지가 흐르는 듯 마는 듯한 그런 상태가 제일 적당한 것이었다.

비닐 팩의 뚫어진 구멍을 크게 벌린 입에 정조준 한 다음 손아귀에 힘을 주면 주사기의 바늘 끝에서 뿜어 나오는 약물처럼 오렌지 주스가 입 안으로 들어가는 것이었다.

용돈이 궁해서 오렌지주스를 살 수 없었던 친구는 부러운 눈초리로 오렌지주스를 사 마시는 친구 뒤에서 얼쩡거렸다.

서너 번도 더 침을 꿀꺽 삼키고 있는 친구를 무시하고 오렌지주스 팩을 조몰락거리다가, 우쭐거리며 오렌지주스를 빨아 마시던 친구는 고개를 약간 갸우뚱하며 눈초리를 옆으로 모아 깐 모습으로 아주 거만한 목소리로 선심을 쓴다.

"아~ 해봐라. 맛 좀 보여 줄게."

(거만이 묻어나는 고향 사투리로 "아`해 바라! 맛 쫌 비 줄께" 정도가 되었을 것이다)

침만 삼켰던 친구는 기회를 놓칠세라 그새 또 입안에 고여 있던 침을 날쌔게 삼키고 입을 크게 벌렸다.

순간, 미지근한 액체가 얼굴에 뿌려지는 걸 느꼈고, 얼른 눈을 감고 흘러내리는 액체를 혀로 핥았다.
들척지근한 맛이 혀끝에 느껴졌으나 간에 기별도 안 갈 만큼 쬐끔이라서 두어 번 더 혀로 윗입술과 인중 사이를 핥아봤으나 혀끝으로 옮아오는 액체는 없었다.

오렌지주스 팩을 가진 친구가 일부러 그랬던 것인지 알 수 없었으나, 얼굴에 오렌지주스를 끼얹힌 친구는 아무 불평도 못하고 찔끔 흘려버리고만 그 액체를 이번에는 입속으로 쏘아 주기를 기다리며 한 번 더 입을 크게 벌렸다.

"기다려봐라. 네가 움직이는 바람에 엉뚱한 데로 다 가버렸다."

이번에는 비닐 팩을 아예 벌린 입 가까이 대고, 선심 쓰듯 오렌지주스를 한 줄기 쏘았다.

"달제? 이래 달달한 걸 보니까 이거 원료는 진짜 오렌지가 맞는 갑다."

*오늘의 우리 고향 말 어원 하나: 꾸라재비는 꿀보다도 더 달다는 뜻의 꿀의 아저씨 즉, 아재비라고 했습니다. 꿀의 아재비에서 꿀아재비기 된 것이고 다시 소리 나는 대로 꾸라재비로 바뀐 겁니다.

13. 강냉이 죽

본관 건물과 강당 사이 비스듬히 서 있는 별관 뒤쪽에 임시로 설치한 아궁이 위의 큰 가마솥에서 강냉이 죽이 끓고 있었다.

눌어붙지 말라고 죽을 젓는 사람과 아궁이에 불을 때는 사람은 선생님 같기도 했고 아닌 것 같기도 했다.

자세히 보니, 나와 같은 저학년의 담임을 맡지 않아서 그랬는지 안면이 없는 것 같았으나 아궁이 근처에서 얼찐대는 학생들의 태도를 봐서는 선생님이 분명했다.

죽이 끓으면서 올라오는 김 때문에 선생님은 땀이 나는지 연방 한 손으로 이마의 땀을 훔치고 있었다.

선생님은 죽을 끓여 조금 식은 후에는 생활이 어려워서 제대로 식사를 하지 못하고 학교에 온 아이들에게 나누어 줄 것이었다.

학교에서는 일주일에 두 번인가, 세 번 정도 생활이 어려운 학생들에게 강냉이 죽을 나누어 주거나 아예 강냉이 가루를 나누어 주기도 했다.

강냉이 죽을 얻어먹는 아이들은 어떤지 모르지만, 집이 조금 더 잘 산다고 해서 강냉이 죽 같은 건 한 숟가락도 얻어먹지 못하고 옆에서 구경만 하는 아이들은 강냉이 죽이 먹고 싶었지만, 죽의 양이 그리 많은 것이 아니어서 먹고 싶다고 해서 쉽사리 누구나 얻어먹을 수 있는 것이 아니었다.

그것은 강냉이 죽뿐이 아니라 일 년에 한 번쯤 구호품으로 미국에서 보내왔다는 학용품 같은 것을 얻어 쓰는데도 차별(?)을 받아야 했다.

품질은 국산품보다 월등히 좋을 거라는 건 사용해 보지 않아도 알 수 있는 것이었지만, 선생님이 교탁 위에 구호품을 펼쳐 놓는 순간 교실 전체에 쫙 펼쳐지던 그 향기가 좋았다.
먹는 것이 아님에도 어찌 그리 좋은 향내가 나는지, 그 향내의 근원을 더듬어 보면 샛노란 색의 연필과 색연필에서 나는 향내가 분명한 것 같았다.

연필을 차지한 친구의 으스대는 표정과 그의 손에 쥐고 있는 연필의 한 면에 선명히 찍혀있는 U.S.A.라는 영어글자를 보며 우리는 영어글자 사이에 점이 없이 USA라고 찍혀있으면 가짜 미제라고 말도 되지 않는 소리로 잘난 채 떠들어 대기도 했다.
어쨌든 구호품인 미제 연필은 질 좋은 향나무를 원료로 사용했는지 그 향긋한 냄새만은 지금도 코끝에 남아 있는 듯 아슴푸레하다.
연필이나 크레파스, 혹은 색연필 등 귀한 물품은 생활이 어려운 친구들에게 돌아갔고, 어쩌다 새끼손가락 한 마디보다 더 작은 철제 팽이라도 하나 얻어걸린다면 그날은 재수가 좋은 날이었다.
생김새는 고학년 교과서에선가 그림으로 본 적이 있는 혼천의든가 뭐 그런 거와 비슷하게 생긴 것이었는데, 엄지와 검지로 꼭지를 쥐고 비틀어 바다에 내려놓으면 뺑그르르 돌아가던 팽이는 두서너 번 돌려 보면 금방 싫증이 나는 것이었지만 그나마도 내 차례가 돌아오지 않으면 한

없이 서운했다.

옥수수 가루 대신 나누어줬던 우유가루만 해도 그랬다.

우리 집에서는 흔해 빠지긴 했지만, 우유가루를 나누어 줄 때도 담임 선생님은 내 이름을 부르지 않아서 나는 기분이 얼마나 상했는지 모른다.

속이 상해있는 내 기분과는 상관없이 담임 선생님에게 이름을 불린 친구들은 교실 한쪽으로 줄지어 나가서는 종이봉투에 담아서 나누어주는 우유가루를 받아서 제자리로 돌아올 때는 봉투의 아가리를 입에 박고는 우유를 털어 넣기에 바빴다.

선생님이 뭐라 그럴지도 몰랐으므로 급하게 입에 털어 넣은 우유가루가 목에 걸렸는지 캑캑대며 기침을 하는 친구도 있었고, 요령 있게 재빨리 한 입 털어 넣고는 입가에 묻은 우유가루를 혀로 날름날름 핥는 친구도 있었다.

우리 집에는 오래전부터 탈지분유가 담긴 두꺼운 종이로 만든 드럼통이 마루 한쪽에 자리 잡고 있었다.

생 우유가루를 그냥 먹어 보기도 했고 한 번씩 물에 타 먹기는 했지만, 우유의 맛이 썩 좋은 것은 아니었고, 많이 마시면 설사를 한다고 해서 자주 마시지 않은 지 오래 되었다.

부엌일을 주로 하는 고모에게 우유 찜을 해 달라고 부탁을 하면, 고모는 밥솥에 김이 오를 때쯤 얄은 도시락에 우유를 물에 갠 것을 넣어서

쪄 주곤 했다.

부르기 쉬워서 그랬는지 이것을 우유과자라고 했는데, 이게 얼마나 딱딱한지 앞니로 조금씩 갉아 먹어야 할 정도였다.

긁어먹다가 지쳐서 그랬는지, 맛이 없어서 그랬는지 앞니로 갉아 먹다 팽개쳐둔 우유 과자가 몇 조각이나 있으면서도 생우유가루를 입에 털어 넣는 친구를 부러운 눈으로 바라봤던 심보는 지금 생각해 봐도 이해가 잘 안 된다.

우유 찜인지 우유 과자인지 애매한 그런 것 보다 우리가 먹고 싶었던 것은 아메다마[あめだま] 라고 했던 눈깔사탕이었다.

거짓말 조금 보태 어린애들 주먹 크기만 한 사탕의 표면에 왕소금 굵기만 한 딱딱한 설탕이 박혀 있어서 억지로 한입에 집어넣었다간 자칫 입천장이 홀딱 벗겨지기 일쑤였다.

사탕을 나누어 먹는 게 싫어서, 입천장이 까지는 걸 생각할 겨를도 없이 동생 몰래 사탕을 입안에 넣어 굴리고 있었지만, 사탕이 워낙 크다 보니 볼때기가 불룩했고, 그러다 보니 금방 들통이 나게 마련이었다.

동생은 사탕을 나눠 먹자고 덤벼들었고 빼앗기지 않으려고 입을 앙다물고 있으면 실랑이하는 시간이 길어지게 되었고, 보다 못해 어머니는 가위를 꺼내 들면서 겁을 주셨다.

“볼때기 이리 대 봐라. 동생도 좀 빨아 묵게 조금만 잘라 주자.”

사탕을 빼앗기지 않으려다 자칫 볼때기 살이 날아 잘려 나갈까 봐 식겁을 먹은 내가 얼른 사탕을 뱉어내면서 볼멘소리를 했다.

“어제는 내 껌도 떼어 가 놓고, 보는 대로 다 달라고 그런다 말이야.”

그랬다.

어쩌다 얻어걸린 시-레이션 [C-ration]박스에서 나온 추잉껌 [chewing gum]은 한 일주일은 씹어야 했다.

아침 먹고 나서 씹다가 점심때가 되면 동생이 눈치 못 채게 장롱 뒤쪽의 벽에 붙여 놓든지 뒤주 문짝이 물려 잘 안 보이는 틈에 슬쩍 붙여 놓든지 해야 했다.

이틀 정도 제대로 잘 씹었던 껌을 내 딴에는 은밀한 곳이라고 안심하고 붙여 뒀는데 어느새 동생이 찾아내어 씹고 있는 걸 보면 화가 나서 또 동생과 다투어야 했다.

"아직 단물도 안 빠졌단 말이야. 빨리 내 껌 내놔라!"

아마 이런 소리로 동생을 윽박질렀을 것이다.

그에 비해 십리 사탕은 한입에 털어 넣어도 표가 나지 않아 좋았다.

처음 입에 넣을 때 약간 쌀뜨물 같은 맛이 나서 쌀뜨물로 만든 사탕인지 어른들에게 물어봤으나 아무도 정확한 재료는 알려 주지 않았다.

토요일 오후에 외삼촌을 따라 외가에 갈 때, 십리 사탕을 입에 물고 가면 외가에 도착할 때까지 다 녹지 않고 알갱이가 남아 있었을 정도로 잘 녹지 않는 사탕이었다.

외가로 들어가는 골목 입구에서 십리 사탕 제일 안쪽의 퍼석한 부분이 가루가 되어 혀 위에 퍼지던 걸 기억해 내었으니 정말일 것이다.

(우리 집에서 외가까지 20리가 된다고 했으니, 외가까지 가는 길에 적어

도 십리 사탕 세 개 정도는 녹여 먹었을 것이다. 그렇더라도 이름처럼 10리를 갈 때까지 빨아 먹을 수 있을 정도로 무지하게 잘 녹지 않는 사탕이었음엔 틀림없었다)

단맛도 눈깔사탕보다 좋았던 것 같았는데, 언제부터 그랬는지 모르게 가게에서는 십리 사탕이 보이지 않았다.

지금 생각해 보니 십리 사탕을 만들었던 공장은 그 사탕이 너무 안 녹으니까 그만큼 수요가 적었을 것이고, 그러다 보니 채산이 맞지 않아서 생산을 포기했던 게 아닐까 하는 생각이 든다.

설마 불량제품이라고 생산 중지 명령을 받았던 것은 아니었을 거고,

14. 얼음지치기

자고 일어나보니 온 세상이 하얗다.

눈이 쌓인 마당으로 내려서니 발목이 빠질 만큼 눈이 쌓여 있었다.

올겨울은 눈이 자주 내렸고 푸짐했다. 어른들은 폭설이라고 했다.

이젠 아무도 눈사람 따위는 만들 생각도 하지 않는지 눈에 덮인 동네는 조용하기만 하다

아버지 공장에서 만드는 주사기의 반제품인 시험관처럼 생긴 유리관에 눈을 넣고 꼬챙이를 꽂아 아이스케키(얼음과자를 뜻하는 아이스케이크가 맞는 말일 거다.)를 만들어 먹는 놀이도 시들해진 지 오래다. 여름 한 철에만 먹을 수 있었던 진짜 아이스케이크보다 맛이 없어서 차라리 처마 밑에 달린 고드름을 따 먹는 게 수고스럽지 않고 더 신선한 맛이 있다는 걸 알고 나서는 동생이 먼저 아이스케이크 만드는 놀이는 싫어했다.

눈이 내리지 않았더라면 오늘도 썰매를 타러 갔을 것이다.

얼음 위를 지치는 탈 것은 모두 스케이트인 줄만 알고 있었고, 실제 그렇게 불렀는데 읍내에 사는 고등학생이 우리가 타는 앉은뱅이 스케이트는 썰매라고 한다는 걸 알려줬다.

그 고등학생은 서울에서 학교에 다니다가 방학을 맞아 고향에 내려와서는 얼음이 꽁꽁 얼어 있는 강 위에서 스케이트 타는 모습을 자랑하듯 보여주는 것이었다.

우리가 얼음지치기하는 솔밭 강 쪽은 한산하여 어른들이 마음먹고 나와

보지 않는다면 아무도 우리가 썰매를 타고 노는 줄 알 수가 없는 곳이었지만, 고등학생이 스케이트를 타는 배다리 아래는 읍내로 내왕하는 사람은 모두 볼 수 있는 장소여서 그 고등학생이 날렵한 모습으로 스케이트를 타고 있자면 다리를 건너던 사람은 걸음을 멈춘 채 다리 난간 아래로 고개를 빼고 넋을 잃었듯, 얼음 위로 날아가듯 스케이트를 타는 그의 모습을 구경하는 것이었다.

처음에는 남학생 혼자였는데, 어느 날 여학생도 스케이틀 타더라는 소문이 났고, 호기심이 많은 우리가 몰려갔던 날엔 남자 둘, 여자 둘, 모두 네 명이 스케이트를 타는 모습을 볼 수 있었다. 교복을 입지 않았지만, 그들은 고등학생이 분명했고, 지방의 소읍에서 서울로 유학을 보낼 수 있을 만큼 부잣집의 자식들답게 차림새도 좋았다.

허리를 구부정하게 굽히고 양손은 뒷짐을 진 채 얼음 위를 달려갈 때 목에 두른 고급스러운 머플러가 나풀대는 모습도 멋져 보였다.

고등학생들의 스케이트 타는 모습을 보고 난 뒤부터 우리 또래 중에서 앉은뱅이 썰매 대신 서서 타는 발 썰매를 타는 아이들이 늘어나기 시작했다.

'발 스케이트'라고 불렀던 그것은 신발 정도 크기의 송판 아래에 칼날 대신 굵은 철사를 한 줄이나 두 줄을 덧댄 것으로, 신발을 신은 채 썰매를 고무줄 같은 것으로 운동화 끈처럼 발에 묶으면 썰매 탈 준비가 끝나는 것이었다.

발 썰매를 타는 애들은 고등학생들 흉내라도 내듯 썰매 앞부분에 두어 개 박아 놓은 못대가리로 얼음을 찍어내면서 출발을 시도했다.

앉은뱅이 썰매도 송곳으로 얼음을 찍어야만 썰매를 움직일 수 있었지만, 발 썰매가 얼음을 더 상하게 한다고 불평을 했다.

날씨가 추워도 한낮이면 강의 가장자리의 얼음은 조금씩 녹기 마련이었다. 우리도 그런 것쯤은 알고 있었지만, 가장자리보다 발 썰매 타는 애들이 찍어 놓은 얼음 부위가 더 빨리 녹는 것을 보면 걱정이 되었다.

썰매를 타다 보면 얼음 아래 얼지 않은 물이 얼음 위로 올라와서 근처 얼음을 녹게 했다. 얼음이 녹은 줄 모르고 썰매를 타던 애들의 옷이 젖거나 심하면 물에 빠지는 경우가 생기게 마련이었다.

강의 가장자리 근처에서 빠진 것이니 생명이 위험하거나 그렇지는 않았지만, 발목 깊이까지 물에 빠지게 되면 신발이나 양말은 물론, 겉옷만 젖는 것이 아니고 속옷까지 젖게 되니 당장 추위를 견디기가 어려웠다.

우리 중에는 성냥개비 몇 개와 성냥개비를 긋는 성냥갑의 일부분을 조금 잘라내어 숨겨 오는 애들이 있어서 덤불이나 나뭇가지를 주워 모아 불을 피워 젖은 옷을 말리기도 했지만, 젖은 양말이나 옷은 쉬이 마르지 않았다.

신발은 대개 검정 고무신이었으므로 물을 털어내기만 하면 되었지만, 문제는 양말이었다.

설날이나 추석 때에 얻어 신은 나일론 양말의 발가락 부분이나 뒤꿈치는 이미 다른 천으로 덧대었거나 실로 꿰맨 것이긴 했지만, 아직은 더 신어야 할 것이었다.

그런데, 그 양말을 말리느라 모닥불을 쬐던 중에 갑자기 바람이 불어와서 모닥불을 휘젓기도 했는데, 그때 불똥이 날아와 말리고 있는 양말에 떨어지는 경우가 있었다.

불똥이 떨어진 나일론 양말 부위는 순식간에 구멍이 났고 구멍 근처가 또르르 말려 딱딱하게 굳어져 버리는 것이었다. 양말 주인이 놀라서 급한 마음에 굳어진 구멍 주위를 손가락으로 문지르면 불에 탔거나 그슬린 구멍은 금방 더 커져 버렸다.

닳고 낡아서 생긴 구멍과 확실히 구분되는 불똥으로 생긴 구멍으로 꾸중을 들을 거라는 생각에 양말 주인은 혼자만 당하는 게 억울하고 분해서 앙갚음을 다짐했다.

발 썰매를 타는 애들이 얼음을 찍었기 때문에 얼음이 쉬 녹았다는 걸 확신한 그는 발 썰매 타는 애들이 주로 얼음지치기를 하는 근처에 머리통만 한 돌을 내리치는 것이었다.

여러 차례 돌을 내리치다 보면 깨지지 않을 것 같던 단단한 얼음 위에는 작은 균열이 생겨 얼음 밑의 얼지 않은 물이 얼음 표면에 깔리는 게 보였다.

그는 직접 썰매를 타고 균열이 생긴 얼음 위로 재빨리 지나가며 가로세로 두어 발 넘는 부위의 얼음이 약하게 출렁대는 걸 확인한 후, 시치미를 떼고 다른 곳으로 장소를 옮겨 썰매를 타면서 누군가가 자기가 만들어 놓은 함정에 빠지길 기다리는 것이었다.

우리는 그런 곳을 고무다리라고 불렀으며, 앞 다퉈 고무다리 위를 지나다니는 재미에 빠져들기도 했다.

잘못되면 물에 빠질지도 모른다는 불안감을 안은 채 썰매 위에 쭈그려 앉은 자세를 유지하며 빠르게 무릎을 폈다 오므리는 동작을 반복하는 한편 양손에 꼬나 쥔 송곳으로 얼음을 찍어 나가노라면 얼음 바닥이 꺼지듯 아래로 내려갔다 다시 위로 올라오는 걸 느낄 수 있었고, 그 아슬아

슬한 위험을 느끼기 위해 우리는 스스로 위험을 자초하는 행위를 계속하는 것이었다.

그러다 보면, 마침내 재수 없는 누군가는 얼음판이 갈라지는 순간과 맞닥뜨리게 되는 건 물어 보나마나였다.

물 꼬리를 물고 썰매가 고무다리 위의 중간쯤 갔을 때 빈 썰매만 쏜살같이 얼음판 저 멀리 달려 가버리고, 썰매의 임자는 쭈그려 앉았던 자세 그대로 갈라진 고무다리 아래 물속으로 엉덩방아를 찍듯 빠지는 것이었다.

물이 깊지 않아 엉덩이 부분만 적신 줄 알았지만, 물속에서 빠져나오자면 일어서야했고, 그러자니 자연스럽게 양쪽 발을 물에 담가야 했다.

아랫도리가 온통 물에 젖었으니 추운 건 뻔한 노릇이었다.

아까 피웠던 모닥불은 꺼진 지 오래되었으니 새로 불을 피워야 했다.

친구들이 나무를 주워 오고 다시 불을 피웠으나 젖은 옷은 빨리 말려야 했다.

성냥 알이 남아 있었으니 망정이지, 그렇지 않아 불을 피울 수 없었다면, 얼어붙은 옷을 입은 채 오들오들 떨면서 솔밭과 공설운동장을 지나 집으로 돌아가야 했을 것이었다.

그렇다고 모닥불 앞이라고 해서 추위가 가신 건 아니었다.

바지와 내복을 벗어 모닥불 가에 널어놓고 팬티만 입고 있으니 추위에 턱이 덜덜 떨렸다.

구름다리를 만든 누군가에게 복수를 다짐하고 있는데 불을 쬐러 오는 친구가 약을 올렸다.

"불알 얼어 터져 장가도 못 갈라, 불알 좀 녹여라!"

뒤쪽 솔밭 속 소나무 가지 위에 앉아있던 까마귀가 우스운 소리를 들어 재미난다는 듯 깍깍대는 소리에 이어 찬 바람 한 줄기가 솔밭을 빠져 나와 모닥불을 사정없이 휘젓고 지나갔다.

어느새 설핏 기운 햇살이 슬금슬금 얼음 위에 내려앉고 있었다.

15. 봄나들이

한껏 게으름을 피우던 봄이 두어 차례 비를 맞고 나더니 훌쩍 떠날 준비를 하는 모양이다.

꽃잎이 다 떨어진 벚나무는 가지마다 엄지보다 더 큰 잎사귀를 매달고 있다.

우중충한 회색빛이던 건너편 산 색깔도 연둣빛으로 바뀌었고 군데군데 해사한, 흰색인 듯 연분홍색 꽃을 피운 산벚나무가 아쉬운 봄의 뒷덜미를 붙잡고 있다.

이맘때의 솔밭 강은 수량이 넉넉했다.

부드러운 햇발이 수면에 내려앉았고 멀리 떨어져 있는 산 그림자와 그 위로 햇발 사이를 비집고 강을 가로지른 철교의 그림자가 수채화처럼 어려 있는 물 색깔은 맑고 산뜻했다.

실바람이 슬쩍 수면을 흔들어 잔물결이 서너 개 일렁이자 수채화도 덩달아 일렁였다.

철교와 교각 그림자가 함께 흔들리고 있는 강물에 손을 담가보았더니 등짝이 서늘할 정도로 아직은 물이 차가웠다.

혹시라도 일찍 놀러 나온 징거미라도 있을지 몰라서 양 손바닥 합친 것보다 큰 돌멩이를 몇 개 뒤집어 봤으나 허사였다.

솔밭 너머 모직회사 쪽에서 노랫소리가 들려왔다.

동네 친구들이 몰려와 있는지도 모른다는 생각이 들었다.

손에 묻은 강물을 바지 엉덩이 쪽에 두어 번 비벼 닦으며 한걸음에 달려가서 솔밭 너머 둑 위로 올라섰다.

떠들며 놀고 있는 아이들은 안면만 있었지 같이 어울려서 놀아 본 적이 없었던 이웃 동네 애들이었다.

남자애 둘이 둑의 비탈을 미끄럼틀 삼아 미끄럼을 타고 있었다.

둑 아래 모직회사에서 울타리로 쳐둔 철조망 못미처 틱져있는 곳에서 여자아이들이 풀 속을 헤집고 있었다.

물이 오르기 시작한 삘기를 뽑는 중이었다.

먼저 뽑은 삘기를 질겅질겅 씹고 있는 애도 있었다.

함께 어울리기가 멋쩍어 그들이 하는 짓을 잠시 보고만 있었다.

애들의 머리 너머 커다란 모직회사의 건물이 조용히 웅크리고 있는 것이 보였다.

일거리가 없어서 그랬던지 오래전부터 모직회사 공장의 기계들은 쉬고 있었고 정문도 닫혀 있었다.

건물과 건물 사이에 녹슨 기계들이 놓여있는 것도 보였다.

경부선 철교 너머 금시당 쪽에서 불어온 바람은 둑을 넘어 키 큰 소나무의 가지 사이로 빠져나가 운동장 쪽으로 몰려가는지 그쪽의 소나무 잎들이 흔들리고 있었다.

조금 전에 여자애들이 풀밭을 헤집으며 지나간 곳에 슬그머니 퍼져 앉아서 여자애들처럼 풀밭을 헤쳐 보았다.

여자애들이 미처 보지 못한 것인지 남아 있던 삘기가 보였고 한 포기를 뽑아 씹어봤으나 단맛이 아직 덜 올랐는지 풀 맛만 났다.

풀 속에는 띠(삘기)만 있는 게 아니었고 이름을 알 수 없는 잡풀들도 보였는데 그중에서 시금치가 파랗게 자라고 있는 게 보였다.
이파리 한 잎을 따서 씹었더니 시큼털털한 식초 맛이 났다.
삘기도, 시금치도 입맛에 맞지도 않는 걸 일부러 찾아내는 게 재미가 없어서 그냥 둑 위로 올라와서 잠시 뭘 할까 궁리를 하며 망설였다.

모직회사가 끝나 둑이 직각으로 꺾인 곳에서 건너편 철길 아래 둑까지 다리가 놓여 있었다.
다리 위에서 아래로 내려다보니 솔밭 앞으로 흐르는 솔밭 강의 물줄기와는 비교가 안 될 정도로 적은 수량의 물이 흐르고 있었다.
물이 얕아 수온이 따뜻해서 일찍 놀러 나온 피라미 같은 것이 물 위로 뛰어오르는 모습이 보였다.
조그만 파문에 햇볕이 잘게 부서져 반짝였다.
기적 소리가 들려 역 쪽으로 고개를 돌려보았더니 도자기 공장이 있는 산모롱이를 돌아 나온 기차가 강 위 철교 앞에서 다시 기적을 울렸고, 덜컹거리며 철교를 지나는 기차의 꼬리를 물고 시커먼 연기가 기차를 뒤 좇더니 이내 기차의 모습도 연기도 시야에서 사라져버렸다.
둑비탈 양지바른 곳에 이름을 모르는 노란 꽃이 군데군데 피어있었고, 꿀벌 몇 마리가 잉잉거리며 꽃송이를 헤집으며 날아다니고 있었다.
잠자리나 풍뎅이는 보이지 않을 때니 벌이라도 잡아보자는 생각에 슬그머니 노란 꽃 무더기 옆에 퍼져 앉았다.
고무신 한 짝을 벗어 벌이 꽃에 내려앉는 순간을 기다렸던 나는 기회를 놓칠세라 재빨리 벌을 고무신으로 퍼 담듯 훑쳐 넣은 다음 머리 위로 팔을 올려 빙글빙글 돌리기 시작했다.

고무신 발등 부분의 안쪽에 갇힌 벌이 어지러움으로 정신을 못 차릴 때 벌의 날개를 엄지와 검지로 집게처럼 집으면 된다는 것을 여러 번의 경험으로 알고 있었다.

생각대로 벌은 고무신 바닥에 비스듬히 누워 있었다.

나는 살그머니 벌의 양쪽 날개를 잡은 다음 몸을 구부려 침을 쏘려는 자세를 취한 벌의 꽁무니를 고무신 바닥에 갖다 댔다.

벌이 침을 쏘고 나면 마음대로 갖고 놀 수 있었으므로 위험에 빠진 줄 아는 벌이 빨리 침을 쏘게 하려는 것이었다.

그러나 벌은 좀처럼 침을 쏘지 않았다.

신발 바닥이 딱딱한 건지, 아니면 벌이 너무 어지러워서 그런 건지 알 수 없어 꿈틀대는 벌의 꼬리를 왼손등 위에 슬쩍 올려 보았다.

따끔 하는 순간 손등에 벌침이 박혔고, 놀란 나는 엉겁결에 벌을 놓아 버렸다.

벌침을 금방 뽑았지만, 손등은 벌겋게 부어올랐다.

근질거리는 건지 어떤 건지 말하기 애매한 아픔으로 벌침을 뽑아낸 흔적이 뚜렷한 부위에 침을 바른 후 혀로 핥기 시작했다.

혀로 핥다 보니 아픔이 좀 가셔졌고 놓친 벌을 다시 잡아야겠다는 생각에 주위를 둘러보니 침을 놓아 버린 벌은 살지 못한다는 말이 맞기라도 하듯 기운이 빠진 벌은 풀 섶에 웅크리고 있었다.

벌에 쏘인 건 분하고 억울했지만, 다시 생각해 보니 내가 먼저 벌을 건드린 것이었고, 강제로 침을 쏘게 한 것도 나였으니 잘못은 내 쪽이 분명하다는 생각이 들었다.

내 손으로 죽이지 않아도, 침을 쏘아버렸으니 벌은 가만히 둬도 어차피 죽을 것이었으므로 그냥 두기로 했다.

고무신을 탈탈 털어 신은 후 근질거리는 손등을 핥으며 생각해보니, 계절이 봄이 아니었고 여름이었으면, 까짓, 벌 따위 잡는 짓을 하지 않았을 거라는 생각이 들었다.

풍뎅이도 잡고 잠자리도 잡을 수 있게 어서 여름이 왔으면 좋겠다는 내 몸을 봄바람이 살랑대며 스쳐 갔다.

16. 종달새

아버지는 동물 기르는 걸 좋아하셨다.

우리 집은 한 울타리 안에 살림집과 공장 건물 외에 넓은 마당이 있었다.

나중에 집을 잇대어 지었지만, 뒤란도 넓어서 한동안 텃밭으로 이용한 적도 있었다.

대문을 지나면 바로 맞닥뜨리는 2층 목조 건물의 공장의 끝에서 직각으로 꺾어지는 곳의 빈터에 아버지는 안채에서 대각선으로 보이는 담장에 잇대어 조그마한 동물들의 축사를 만들어 두고 몇 종류의 동물을 키우셨다.

돼지는 말할 것도 없고 닭도 흔히 볼 수 있는 토종닭이 아닌, 한도 닭이라고 했던 싸움닭과 모가지의 털이 울긋불긋한 외래종의 닭도 있었고, 툭하면 우리에서 빠져나와 마당에서 어슬렁거리는 오리와 거위도 키웠다.

어느 해에는 강원도에서 꿀을 팔러 오는 사람이 우리 집의 작은 동물원과 아버지가 생각나서 일부러 잡아 왔다는 오소리 한 쌍도 우리를 차지하고 있었다.

아버지는 방 하나를 통째 새를 키우는 곳으로 만든 적도 있었다.

새를 키워 팔겠다고 생각하신 것인지는 모르겠으나, 그 당시엔 흔하지 않았던 앵무새 종류를 키우셨는데, 앵무새가 직접 알을 품어 부화하는 것보다 십자매에게 부화를 맡기면 성공할 확률이 높다는 이유로 십자매 몇 쌍도 들여오셨다.

십자매의 번식력은 대단했다.

앵무새 한두 마리가 부화하는 둥지에 십자매는 서너 마리 이상이 부화했다.

얼마 지나지 않아 먹이를 감당할 수 없을 정도로 십자매의 수가 많이 늘어났다.

처치 곤란할 정도로 십자매 수가 늘어나자 아버지는 일부러 십자매를 바깥으로 날려 보내기도 했지만, 사람이 주는 먹이를 받아먹던 것에 길이든 십자매들은 달리 갈 곳이 없었든지 자유롭게 풀려났음에도 불구하고 우리 집 근처를 벗어나지 않고 있었다.

하굣길에 어쩌다 군청 담 옆 나뭇가지 위에 웅크려 앉아 떨고 있는 십자매를 발견할 때도 있었지만, 그놈은 다시 길을 건너 우리 집 처마 밑으로 찾아오기 마련이었다.

나도 종달새를 키워 본 적이 있었다.

종달새가 알을 낳아 새끼를 까는 시기는 보리나 밀이 익을 무렵이었다.

요즘은 보리밭이 관광 상품으로 이용되기도 하지만, 내가 어렸을 적에는 보리는 벼를 심기 전에 해마다 심고 가꾸는 주요 농작물이었다.

강으로 둥그렇게 둘러싸여 있는 우리 동네 한쪽의 대부분은 농작물을 심는 밭이었다.

동네 안쪽에 있는 웅덩이는 비가 많이 오는 장마철에는 물이 넘쳐서 이전한 소전 앞쪽을 지나 마음 산 동네 앞의 강으로 흘러 들어갔다.

물이 넘칠 때만 잠깐 개천처럼 변하는 길의 양쪽에 펼쳐져 있는 밭의 끝은 강에 닿아있었다.

건기에는 거의 바닥을 드러내고 있는 강 쪽에 있는 밭에는 대국 밀이라고도 했던 키가 큰 호밀을 심은 곳이 많았고, 대부분의 밭에는 보리를 심었다가 추수를 하고 나면 토마토 따위를 심어 가꾸는 것을 볼 수 있었다.

종달새는 그런 보리밭에다 둥지를 틀고 알을 낳는다는 걸 우리는 잘 알고 있었다.

봄볕이 따스하고 화창한 날, 보리밭 위 하늘 가운데 못에 박힌 듯 떠 있는 종달새를 보게 되면 우리는 몸을 숨겨 어미 종달새가 제집을 찾아가는 장면을 지켜보며 기회를 노렸다.

높은 곳에서 정지 비행하면서 침입자가 있는지 주의 깊게 확인한 종달새는 둥지가 있는 곳에서 한참 먼 곳에 내려앉는다.

보리밭에 내려앉은 후에도 어미 종달새는 침입자가 쉽게 따라 붙지 못하게 지그재그 종종걸음으로 보리 포기 사이를 교묘하게 헤집으며 둥지로 찾아가지만, 종달새보다 머리가 좋은 우리는 구태여 종달새의 뒤를 쫓지 않고도 쉽게 둥지를 찾아내는 방법을 알고 있었다.

종달새는 둥지로 갈 때만 위장 전술을 사용했을 뿐, 둥지를 떠날 때는 바로 둥지에서 하늘로 날아오르는 바보짓을 하는 걸 모르고 있었다.

우리는 그런 종달새의 습성을 알고 있었고, 어미 종달새가 방금 날아오른 보리밭 고랑을 눈짐작으로 찍은 다음 재빨리 둥지 쪽으로 접근하는 것이었다.

아직 부화하지 않은 채 알만 소복한 둥지는 나중을 위해 털끝 하나 건드리지 않는 것은 당연한 행동이었고, 부화한 새끼가 눈도 뜨지 않고 노란 부리를 여닫으며 재잘대고 있다면, 그곳 역시 당장 욕심을 낼 수 없었다.

다행히, 어디까지나 인간인 우리들의 기준에서, 털도 제법 야들야들하고, 자기들 끼리 장난도 치면서 가끔 둥지 밖으로 몸을 빼내기도 하는 놈이라야 우리가 키우기엔 제일 적당하다고 판단했고, 새끼가 그때가 되도록 느긋하게 기다렸다.

종달새를 키워 보겠다고 벼르고 있는 건 나뿐이 아니었으니, 가끔 내가 점찍어 둔 둥지의 종달새 새끼를 하룻밤 새 다른 누군가가 새치기해 가버려 몇 날 들인 정성이 헛수고가 될 때도 있었지만, 그래도 계절이 바뀌기 전에 몇 마리의 종달새를 키우는 재미에 빠져들 수 있었다.

잡식성인 종달새는 사람이 주는 걸 잘 받아먹었고, 대나무 꼬챙이를 다듬어 만든 새장 안에서도 잘 견뎌내어 금방 어미 새로 컸고 울음소리도 제법 들을 만했다.

새끼 종달새의 먹이를 구하러 운동장 너머 둑으로 나가 잡풀을 헤치고 돌아다니며 여치나 메뚜기 따위를 잡느라 지칠 때도 있었지만, 배를 곯고 있을 종달새를 생각하면 힘들다고 그만 둘 수 없다는 생각이 들어 메뚜기를 한 마리라도 더 잡으려고 애를 썼다.

읍내 시장 통에는 종달새를 사 모아뒀다가 종달새를 키우려는 사람들에게 되파는 곳이 있다는 이야기를 듣기는 했지만, 나는 한 번도 종달새를 팔아본 적은 없었다.

미처 자라지 못하고 죽어 버린 종달새도 있었고, 허술한 새장을 뚫고 도망 가버린 종달새도 있었는데, 다 큰 종달새를 들판에 놓아준 기억은 나지 않는다.

예전처럼 하늘에 그림같이 떠있는 종달새의 모습을 볼 수 있는 날이 있을까?

명대로 못 살다 간 종달새의 구슬픈 울음소리가 들리는 듯한 새벽이다.

17. 용두목

용두목이라는 지명의 유래가 '용의 두목'인지 혹은 '용머리와 목'을 뜻하는지 알고 싶어서 검색을 하면서 알게 된 것인데, 옛날 우리나라에는 미꾸라지만큼이나 용이 많았던 모양이다.

어지간한 동네마다 용이 살았다는 흔적이 남아 있는걸 보면 용의 번식력은 대단했던 것 같다.

그 많은 용이 올라간 하늘나라에는 용이 바글바글할 거라는 상상도 해본다.

어쨌든 전설에서 이야기하듯이 용두목이라는 지명의 유래가 된 용두연은 용궁과 인간세상을 연결하는 곳이라고 했으니, 용두연 근처에서 수영하며 놀았다는 것은 용궁 입구에서 놀았다는 것인데, 좋다는 용궁까지 들어 가보지 못한 게 못내 서운하다

우리 동네에서 용두목으로 가려면 운동장 뒤쪽의 솔밭을 지나 둑길을 따라가다 만나는 다리를 건너야 했다.

용두산 아래를 핥고 지나온 강물이 갈라져서 삼문동과 가곡동 사이로 흐르는 강 위에 놓여 있던 다리는 사라 호 태풍으로 무너져버려 흔적조차 없어졌지만, 수십 년이 지난 지금도 다리를 지나 용두목으로 가곤 했던 기억이 생생하다.

다리를 건너 간 후 둑 아래로 내려가서 철로가 놓인 철교 아래를 지나면 보트장으로 이용하기에 십상인 폭이 넓은 강이 한눈에 들어온다.

봄부터 늦은 가을까지 보트 놀이나 물놀이로, 얼음이 꽁꽁 얼어 붙은 겨울에는 썰매를 타고 노는 유원지로 용두목은 사시사철 사람들의 발길이 끊이지 않은 곳이었다.

친구의 부친이 용두목에 보트장을 운영하고 있었고, 친구도 시간만 나면 보트장에서 잔심부름을 하는 걸 알았기에 덩달아 나도 자주 보트장에 놀러 갔다.

물이 깊은 곳이라서 마음 놓고 수영은 할 수 없었지만, 손님이 뜸할 때면 보트를 강에 띄워놓고 노 젓는 방법을 배우기도 했다.

물을 튀기지 않고 노를 저을 수 있게 되고 나서는 친구 대신 내가 손님을 태우고 강을 건너다니는 심부름을 자청하기도 했다.

거의 솔밭 강에서 썰매 타기를 하고 놀았지만, 읍내 아이스케이크 가게에서 여름에 사용할 얼음을 잘라내러 왔을 때라든지, 누에 종자를 키우는 잠실에서 봄에 사용할 얼음을 구하러 소달구지를 끌고 용두목으로 가는 날에는 신기한 구경거리라도 되는 양 우리는 몰려가서 얼음 잘라내는 작업을 구경하기도 했다.

크게 신기할 것도 없었지만, 두께가 50cm도 넘어 보이고 책상보다 넓어 보이는 크기의 얼음 스무 남은 개를 톱으로 잘라내어 소달구지에 옮기는 작업을 구경하노라면 추운 줄도 몰랐고 시간 가는 줄도 몰랐다.

요즘처럼 냉장고니, 제빙기 따위가 없었거나 귀하던 시절이어서 봄이나 여름철, 얼음이 필요한 때 사용하기 위해 용두목처럼 물이 깨끗하고 깊은 곳에서 얼은 얼음을 미리 잘라서 톱밥 따위로 묻어 창고에 보관해 뒀다가 제철에 요긴하게 사용했던 것이었다.

작업이 끝나고 나면 어른들은 그 주변에다 새끼줄을 쳐서 사람들이 접근 못 하게 막았으며, 한 사나흘이 지나면 얼음 구멍은 다시 얼음으로 메꾸어질 만큼 추위가 심했던 시절이었다.

용두목 깊은 물에 사는 고기, 특히 잉어는 영물이라서 함부로 낚시를 하다가는 봉변을 당한다는 소문이 돌았지만, 가끔가다 날씨가 흐리거나 부슬비가 내리는 날이면 보트장 건너편에서 낚시를 하는 사람을 볼 수 있었다. 그 낚시꾼은 소문을 믿지 않는 것이 아니라 약으로 사용할 잉어가 필요한 사람의 요구에 따라 어쩔 수 없이 낚시를 한다고 했다.

약으로 필요하다고 해서 잉어를 쉽게 잡을 수 있는 것도 아니라서, 낚시꾼은 사전에 강을 가로질러 밧줄을 묶어 놓은 후 중간 정도 되는 지점에 표시해 둔 후 매일 일정한 시간에 일정량의 미끼를 던져주길 적어도 일주일 정도 한 후 마지막으로 같은 미끼를 매단 낚시를 던져 넣으면 기대했던 잉어를 낚아 올린다는 것이었다.

낚은 잉어가 얼마나 큰 것인지 직접 보지 않아서 모르겠지만, 어느 핸가 초겨울, 가뭄으로 수량이 줄어든 배다리 밑에서 열 마리도 넘는 잉어가 떼 지어 돌아다니는 모습을 보고 과연 어린애보다 더 큰 잉어가 실제 있다는 걸 확인 한 적이 있었다.

사람들은 그런 크기의 잉어가 용두목에는 수두룩하다고 했다.

용두목 건너편에는 꽤 넓은 들판이 펼쳐져 있었으며, 홍수가 나면 범람하기 일쑤라는 걸 알면서도 한 뼘의 땅도 묵혀두지 않는 농부들이 돌보는 몇 군데의 과수원이 있었다.

나는 그런 과수원 근처를 돌아다니는 걸 좋아했다.
특히 복숭아꽃과 사과 꽃이 필 때쯤이면 잡종 포인터 메리를 데리고 과수원 근처를 쏴 돌아다녔다.

울타리로 심은 탱자나무 꽃이 만발한 걸 보고 괜히 심장이 두근거려 근처 찬물 샘으로 찾아가 벌컥벌컥 찬물을 들이키기도 했다.

초봄의 그런 한가한 날, 탱자 울타리가 끝나는 곳에서 건너편을 바라보니 보트장에는 손님이 없는지 모래톱에 열 지어 있는 보트들만 이따금 일렁이는 물결 따라 흔들리고 있었고 위쪽 가게에도 사람의 모습이 보이지 않았다.

산 그림자를 드리운 강물은 고요하기만 했고 그 정적을 뚫고 새까만 물까마귀 한 마리가 수면을 스치듯 강 건너로 날아가더니 이내 모습을 감추었다.

다시 물 흐르는 소리도 들리지 않는 정적을 깨트리고 풍덩하고 무언가가 물에 빠지는 소리가 들렸다.

소리가 난 쪽으로 고개를 돌려 보니 용두산 꼭대기 못 미친 곳에 자리를 잡은 절에서 물을 긷느라고 두레박을 내려 보낸 소리였다.

알려고 하지도 않았지만, 무슨 이름을 가진 절인 지도 모르고 그냥 용두산 만디이(꼭대기라는 우리고장 사투리)에 있는 절이라고 했던 그 절에는 우물이 없었으므로 이십 미터쯤 산 아래에 있는 강물 속에 밧줄을 늘어뜨려 강바닥에 묶어 놓고는 도르래를 매단 두레박으로 물을 길어 사용하고 있었던 것이었다.

금방 물이 가득 담긴 두레박이 밧줄을 타고 산으로 올라가고 있었고 두레박이 흔들리면서 떨어지는 작은 물방울 몇 개가 햇빛에 반짝했다.

고향을 떠난 후 용두목에 가본 적은 없지만, 기차를 타고 가면서 차창 밖으로 내려다본 용두목 전경은 많이 달라져 있었다.
스치듯 지나가며 본 것이라 정확한 광경을 보지 못해 그럴 수도 있겠지만, 변한 모습의 용두목 전경은 낯설게만 느껴져서 어린 시절 매일 눈에 담았던 그때의 풍경만이 삼삼하게 떠올랐다.

18. 용두보

용두목의 대한 전설이 있는지도 몰랐던 나는 용두연 그 위에 있는 물을 가두기 위해 만든 보洑인 시멘트 구조물 아래에서 고기잡이를 하고 놀기도 했다.

물이 모이는 보의 위 오른쪽으로 가풀막진 비탈 산이 뻗어 있었고 산 중턱에는 금시당이라는 재실이 강을 내려다보고 있었다.

급류로 흐르던 강물이 산 아래에서 굽이돌면서 강폭이 넓어졌고 흐름도 완만해져 아래쪽 보에 물이 가둬졌다.

보에 모인 강물의 한 줄기는 용두산 밑을 뚫어 만든 터널을 통해 가곡동을 거쳐 멀리 돌아 흘러온 본류의 아래 지하 통로를 지난 다음 상남들이라는 들판에 공급하는 농업용수로 사용되었고, 터널 입구에서 넘쳐난 물은 또 다른 수로를 통해 원래의 강으로 흘러들고 있었다.

그러지 않아도 산을 감싼 쪽의 강은 물이 깊어서 물빛이 퍼렇다 못해 꺼멓기까지 했는데 보도랑 물이 강물에 합쳐지면서 생긴 소용돌이를 보고 있으면 정신이 아찔해지기도 했다.

산 아래 강물과 맞닿은 곳에는 크고 작은 바위들이 들쑥날쑥 강물 위로 모습을 드러내고 있었고, 어떤 바위들은 퍼런 이끼가 잔뜩 끼어 있어서 사람이 접근하기가 쉽지 않은 곳도 많았다.

그런 곳에서 아버지는 꺽지 낚시를 하고 있었다.

산의 뿌리가 물에 잠겨 있는 쪽의 강바닥에는 바위가 많았고 바닥이 보이지 않는 강은 수심을 가늠할 수 없었다.

손가락 한 마디 정도의 크기로 수수깡을 잘라 만든 찌를 두어 뼘 간격으로 총총 매단 낚싯줄을 드리운 아버지의 모습이 산그늘에 가려서 또렷하지는 않았지만, 바위를 건너다니는 모습은 조심스러워 보였다.

내가 놀고 있는 보의 둑 위로 발목이 잠길 정도의 높이로 찰랑찰랑 물이 넘쳐흘러 넘치는 모습은 작은 폭포를 연상케 했다.

한낮이 조금 기운 시간이어서 봇둑의 절반 정도에는 산그늘이 드리워져 있었고, 나머지 반쪽에는 여전히 햇볕이 쨍쨍 내려쬐어 둑을 넘어 폭포가 되어 떨어지는 물줄기마다 햇빛이 찰랑대고 있었다.

나는 떨어지는 물줄기에 반쯤 몸을 담근 채 금파리 낚시를 시작했다.

물살이 센 여울에는 항상 피라미들이 모여들었고, 어쩌다 물 위로 날아다니는 하루살이 같은 걸 보게 되면 피라미들은 영락없이 뛰어올라 날것을 낚아채 가곤 했다.

그런 피라미의 습성을 노려 여울져 흐르는 물 위에 미끼가 동동 떠있게 하는 방법으로 낚시를 했고. 낚시 가게에서는 날개가 금빛, 은빛인 파리 모양의 미끼를 팔고 있었다.

나는 여울의 좌우로 낚싯대를 밀었다 당겼다 하는 행위를 계속하며 물 위에 떠 있는 가짜 미끼가 피라미들의 눈에 잘 뜨이게 하는 행동을 하고 있었으나, 내 의도와는 달리 피라미들은 미끼를 물 생각이 없는 것인지, 엉뚱한 곳에서 물 위로 폴짝폴짝 뛰어오르고 있었다.

그럴 때 마다, 금방 피라미가 뛰어 올랐던 곳으로 미끼를 던져 보았으나 피라미들은 약을 올리듯 이번에는 조금 전 내가 미끼를 던졌던 곳에서 뛰어 오르고 있었다.

피라미는 한 마리도 잡히지 않았고 은근히 약이 올라있는 내 모습을 본 동생이 핀잔했다.

"피라미가 형을 잡아먹으려 한다. 낚시 그만하고 고동이나 줍자."

무슨 수를 쓰든 한 마리라도 낚아 올려야 체면이 설 것 같아서 봇둑 쪽으로 두어 걸음 뒤로 물러난 후, 낚싯대를 부챗살 모양으로 이곳저곳으로 분주히 옮겨 봤으나 여전히 피라미들은 미끼를 외면하고 있었다.

오랜 세월 동안 강바닥이었던 시멘트 바닥은 이끼가 끼어 있어서 엄청나게 미끄러웠다.

미끄러지지 않으려고 엉거주춤 보 둑에 걸터앉았다.

폭포의 물이 사타구니 사이로 비집고 들어 왔다. 간질간질 사타구니를 간질이는 작은 물살의 느낌이 좋아 나도 모르게 소변을 찔끔 싸고 말았다. 소변은 조그만 포말을 만들며 흘러갔다.

금방 강물에 섞여 흔적도 없어진 소변이 만든 포말 근처에서 피라미 한 마리가 펄쩍 뛰어오르는 것이 보였다.

재빨리 손을 뻗으면 피라미를 낚아 챌 수 있을 만큼 가까운 거리였다.

한 마리가 뛰어오르자 이어서 또 다른 놈이 뛰어올랐다.

봇둑을 뛰어넘는 연습을 하는지 피라미들은 높이뛰기 선수처럼 여기저기서 폴짝대고 있었다.

낚시하는 것을 중단하고 강물 위로 뛰어오르는 피라미들을 손으로 잡아 보려고 팔을 뻗어 보았으나 어림없는 행동이었다.

몇 번인가 되지도 않는 행동을 하던 중에 문득 한 가지 생각이 떠올랐고, 이내 낚싯대 끝에 묶어져 있던 낚싯줄을 풀어냈다.

회창회창한 낚싯대를 허공에 대고 힘껏 휼쳐보았더니 휘잉 하고 바람을 가르는 소리와 함께 낚싯대가 활처럼 휘어졌다.
준비를 끝낸 나는 봇둑 앞으로 바싹 다가섰다.
낭창낭창한 낚싯대의 끝부분에 잔뜩 힘을 모으고 숨을 가다듬고 기다리고 있자니 피라미 한 마리가 폴짝 강물 위로 뛰어올랐다.
순간적으로 손목의 힘만 이용하여 낚싯대를 휼쳤다.
낚싯대 끝에 뭔가 스치는 감각을 느꼈고, 내 생각대로 됐다는 느낌으로 내려다본 강물 위에는 낚싯대에 맞은 피라미가 하얀 배를 드러내고 여울따라 둥둥 떠내려가는 것이 보였다.
신이 난 나는 동생을 향해 소리를 질렀다.
“한 마리 잡았다. 빨리 가서 주워라!”
어리둥절해 하는 동생에게 손가락으로 피라미가 떠내려가는 곳을 알려준 나는 다시 낚싯대를 꼬나 잡고 또 다른 피라미가 뛰어오르길 기다렸다.
“이게 무슨 고기야? 다 짜개져 징그러워서 만지기도 싫다.”
동생은 불만에 가득 찬 목소리로 낚싯대에 얻어맞아 몸이 반쯤 잘린 피라미의 꼬리를 엄지와 검지로 집어 들어 보였다.
중지 정도 크기의 피라미는 내가 보기에도 심할 정도로 살이 터져 있었다.
“버려 버려라. 다음부터는 살살 때려잡을게.”
말이 끝나기 무섭게 기다렸다는 듯이 피라미가 폴짝 뛰어올랐다. 은색 뱃대지가 햇빛에 반짝하는 순간 마음먹고 낚싯대를 후려쳤지만 헛손질을 하고 말았다.
그 뒤로도 몇 번이나 낚싯대는 바람 소리를 내며 허공만 가르고 말았다.

내가 큰소리친 것을 비웃기나 하듯 낚싯대로 후려쳐서 피라미를 잡는 방법은 쉬운 것이 아니었다.

처음 한 번은 어쩌다 소 뒷걸음치다 쥐 잡은 격이었던 모양이었다.

연거푸 실수만 하는 내 행동을 구경하던 동생도 시들했는지 아예 물 밖으로 나가서 딴 짓을 하고 있었다.

제풀에 맥이 빠진 나도 하던 짓이 심드렁해졌다.

제대로 된 피라미를 한 마리라도 잡아서 동생 앞에 디밀어 보여주어 구겨진 자존심을 살려야 되겠다는 욕심으로 딱 열 번만 더 시도해 보자고 생각하고 속으로 셈을 세며 피라미가 뛰어오르길 기다렸으나 내 의도를 눈치라도 챈 것인지 피라미들은 낚싯대가 미치지 못하는 멀찍한 곳에서만 널뛰기하고 있었다.

미끄러질세라 엉금엉금 기다시피 자리를 옮겨가는 내 모습이 딱해 보였든지, 봇둑 위로 몰려드는 물줄기를 거스르며 강을 건너가던 낯선 어른이 내게 알려 주었다.

"피라미 낚시는 해거름에야 잘 되는 것이니 좀 더 기다렸다가 해 봐라, 그리고, 지금 네가 하는 낚싯대로 피라미를 두들겨 패는 방법은 너무 잔인하니 하지 말았으면 좋겠다."

나는 그 낯선 어른의 말을 듣자마자 창피하여 얼굴이 화끈거리는 걸 느꼈지만 속으로는 그 어른의 말을 받아드리고 싶지 않았다.

낚시해서 고기를 잡는 것과 대나무로 후려 쳐서 고기를 잡는 것이 어째서 다르다는 것인지 이해가 되지 않았다.

그렇지만 나는 어른의 충고에 순응하듯 바로 물가로 나와서 다시 낚싯대 끝에다 낚싯줄을 붙잡아 매는 작업을 했다.

강을 등지고 쭈그려 앉아 낚싯줄을 매고 있는 내 모습의 그림자가 자갈이 섞인 모래밭에 엎드려 있었다.

고개를 돌려 건너편을 보니 어느새 산 그림자는 강폭 전체를 덮고 있었고 바람도 제법 서늘한 것이 해가 질 때가 다 되어 가는 모양이었다.

산허리에 가파르게 나 있는 꼬부라진 산길, 잎이 무성한 나무 사이로 언뜻언뜻 아버지의 모습이 보였다.

아버지는 어두워지면 바위 틈새로 다니는 게 위험하다는 걸 알고 일찌감치 낚싯대를 접고 우리가 있는 쪽으로 오시는 모양이었다.

나는 금파리 낚시를 다시 하고자 서둘렀다.

아버지가 우리 있는 곳에 도착하기 전에 적어도 서너 마리는 잡아 놔야 체면이 설 것 같았다.

아까 어른이 일러 준 대로 피라미 낚시가 잘 된다는 해거름 때니까, 진짜 실력을 발휘할 때가 됐다는 생각에 낚싯대를 꼬나 쥔 팔에 힘이 들어갔다.

19. 보트장과 찬물 샘

용두목에 있는 친구네 집에서 하는 보트장으로 가보고 싶은 생각이 들었다.

작년에 친구로부터 노 젓는 걸 배웠으므로 강을 가로질러 건너다니는 정도는 거뜬하게 할 수 있다는 생각에 걸음이 빨라졌다.

보트장은 경부선 하행선 철교를 지나면 빤히 보였다.

과자와 음료수 따위를 파는 가게의 간이의자에 앉아 있는 친구의 어머니가 보였다.

가게 앞으로 펼쳐진 어른 열댓 발작 넓이만큼의 백사장에 여남은 대의 보트들이 뒤집어진 채 엎드려 있었다.

친구의 아버지는 엎드려 있는 보트 사이에서 보트의 옆구리에 페인트를 칠하고 있었다.

하늘색보다 더 파란 색깔의 페인트가 듬뿍 묻은 붓을 페인트 통 가장자리에 대고 훑어내는 동작을 하는 친구의 아버지와 눈이 마주치면 인사를 해야겠다고 마음을 먹고 있는데 내 마음을 눈치를 채셨는지 친구의 아버지가 먼저 아는 체를 했다.

"덕기 아직 안 왔는데, 만나기로 했나?"

인사를 해야 하는 기회를 놓친 내가 엉겁결에 얼른 대답했다.

"약속 안 했습니다. 그냥 놀러 왔습니다."

"그러면 기다려 봐라. 좀 있으면 나올 거다."

그 말을 들었는지 가게에 있던 친구의 어머니도 합세했다.

"점심 먹고 온다고 했으니 하마 올 때가 됐다. 점심은 먹었니?"

점심때가 된 줄도 모르고 있었던 나는 점심을 먹지 않았다고 대답하기가 애매해서 그냥 웅얼대는 소리로 대답을 대신했다.

어른들은 내 대답에는 관심이 없었든지 그냥 하던 일을 계속했다.

나는 그 자리에 뻘쭘하게 서 있기가 무안해서 천천히 강가로 걸음을 옮겼다.

보트를 대기 좋게 바닥이 완만하게 경사가 져 있는 모래톱에 수선을 끝낸 보트 두 대가 물 위에 떠 있었다.

덜 말랐던지 보트에서 떨어져 나와서 강물 위에 떠 있던 페인트 냄새가 내게로 몰려왔고, 냄새를 맡느라 콧김을 흥흥대는 소리에 놀란 모래무지 새끼들이 후다닥 깊은 물속으로 도망치는 것이 보였다.

그 바람에 강물 위에 내려앉아 있던 하늘이 흐늘흐늘 흔들렸다.

물에 손도 담가보기도 하고, 가만히 있는 보트가 물에 떠내려가기라도 하는 것처럼 괜히 보트의 뱃머리를 잡고 모래톱 위로 끌어올리기도 하면서 시간을 보내고 있는데도 덕기는 나타나지 않았다.

상행선으로 화물열차가 지나갔고, 하행선으로 여객열차가 지나갔다.

객차의 출입구에 서 있는 젊은 남자가 나를 보고 손을 흔들었으므로 나도 덩달아 알지도 못하는 그 사람에게 손을 흔들어 줬다.

그때 덕기 아버지가 나를 불렀다.

덕기 아버지 옆에는 젊은 남자와 여자가 서 있었다.

여자는 등을 돌리고 서 있어서 젊었는지, 예쁜지 어떤지는 모르겠지만 빨간 꽃무늬가 잔뜩 그려진 양산으로 햇빛을 가리고 있었다.

"노 저을 줄 알지? 이 손님들 강 건너갈 거라니까 따라갔다 오너라."

덕기 아버지는 아들인 덕기에게 말하듯이 내게 그렇게 말했고, 나는 순순히 강가로 가서 뱃머리를 붙잡고 손님이 보트 타기를 기다렸다.

여자가 먼저 보트에 올라 뒤쪽으로 가서 자리 잡고 앉았고, 남자는 여자와 마주 보며 앉더니 노를 잡고 저을 준비를 했다.

나는 잽싸게 보트를 강물로 밀어놓고는 훌쩍 보트에 올라탔다.

보트가 스르르 강으로 밀려들어 갈 때쯤 나는 뱃머리 쪽 좁은 자리에 앉았다.

노를 젓기 시작한 젊은 남자의 뒤통수가 한눈에 들어왔다.

남자는 노를 젓는 게 시원찮아서 노가 물 위로 올라올 때마다 찰방거리는 물소리와 함께 물이 튀었고 여자는 그때마다 물이 튄다고 불평을 하고 있었다.

나는 그냥 물 위에 어리는 하늘과 구름 조각이 물결에 부서져 나가는 것만 물끄러미 보고 있었지만 두 사람의 행동이 은근히 마음이 쓰였다.

귀 기울이지 않아도 여자의 말소리가 오롯이 다 들렸다. 여자가 불평하는 것이 아니고 애교를 떨고 있는 것인지도 모른다는 생각이 들기도 했다.

강을 건너가면 사과밭이 있고 복숭아밭도 있었으므로 두 사람은 그런 밭을 기웃대다가 근처에 아무도 보는 사람이 없는 틈을 타서 얼른 키스도 하고 그럴 것이 뻔하다는 상상을 했다.

그런 짓을 하지 않을 거라면 이제 겨우 꽃이 떨어진 과수원에 놀러 갈

이유가 없을 터였으므로 내 상상이 틀림없을 것이라는 확신이 들었다.
여자의 얼굴이라도 한번 봐야겠다는 생각이 들었다.
여자는 아까부터 펴들고 있던 양산으로 얼굴을 가리고 있긴 했지만, 생김새를 보는 데는 지장이 없었다.
물에 비친 꽃 양산의 빨간색이 여자의 얼굴에 다시 반사되어서 그런지 여자의 얼굴은 밝았고 입술에 바른 루주 색상이 선명하여 웃을 때 잠깐 보였던 치아가 가지런하고 또렷했다.
우리 고장에 사는 사람이 아닌지 안면이 있는 사람이 아니었다.
하긴 안면이 있는 사람이었다면 벌건 대낮에 남녀 단둘이 보트를 타고 강을 건너 외진 과수원으로 가는 짓은 하지 않을 것이었다.
오래지 않아 노 젓는 소리가 멈췄고 남자는 노를 물 위에 나란히 띄어두고 보트가 기슭에 닿기를 기다리고 있었다.
나는 눈치 빠르게 보트에서 뛰어내려 뱃머리를 잡아끌어 보트가 무사히 땅에 닿게 했다.
곧 바로 남자가 내렸고, 양팔로 여자를 껴안다시피 해서 여자가 보트에서 내리는 걸 도와주고 있었다.
내가 보고 있는 걸 알면서도 그들은 손을 꼭 잡은 채 성큼 강변으로 걸음을 옮겼으며 남자가 한번 뒤돌아보며 짤막하게 인사를 했다.
"꼬마야! 조심해서 가라."
나는 바로 보트를 타지 않고 그들이 과수원 쪽으로 가는 모습을 잠시 보고 있다가 근처 찬물 샘 쪽으로 걸음을 옮겼다.
두 그루 수양 버드나무 사이로 모래톱이 둥그스름하게 들어 앉아있는 곳에는 물이 샘솟는 곳이 여러 군데 있었다.

지하의 얼마만큼 깊은 곳에서 솟아나는 것인지는 모르지만 날씨가 더울수록 물이 차가웠고, 겨울에는 얼음도 얼지 않고, 오히려 뜨뜻한 김이 모락모락 나기도 하는 샘이었다.

주로 여름에 찾아와서 물을 마셨으므로 우리 고장 사람들은 그곳을 찬물 샘이라고 했다.

퐁퐁 솟아오르는 샘물의 장단에 맞춰 연한 갈색의 모래알이 몽글몽글 구르는 모습을 보고 있노라면 갈증이 한꺼번에 몰려와서 얼른 물을 한 모금 마시지 않을 수가 없었다.

물에 발을 담그지 않으려고 최대한 양쪽 발을 벌려 축축한 모래톱 위에 버텨선 다음, 허리를 낮춰서 양손 가득 찬물을 퍼 올려 입으로 가져왔다.

입안이 환해지는 느낌에 이어 목이 확 트이는 기분이 들었지만, 물의 양이 적어서 더 많이 마시고 싶은 욕심이 생겼다.

양손으로 퍼마셔도 성이 차지 않아서 아예 허리를 더 구부리고 솟아오르는 샘물에 입을 갖다 대고는 벌컥벌컥 양껏 물을 마셨다.

점심을 걸러서 배가 고팠던지 물을 한참 동안 마셨다.

병아리들이 하듯이 물 한 모금 마시고 하늘 한번 보고 그렇게 마시다 보니 배가 불렀다.

수양 버드나무 가지에 이름을 모르는 새 두 마리가 고개를 갸우뚱거리면서 나를 보고 있는 게 보였다. 내가 자리를 비켜 주면 물을 마실 작정으로 기다리고 있는 것 같았다.

보트 있는 곳으로 돌아서려는데 강 건너편에서 나를 부르는 소리가 들렸다.

그새 덕기가 왔던 모양이었다.

강을 건너가며 노를 젓노라니 이마에 땀이 맺혀 노 젓기를 멈추고 두 손바닥으로 땀을 훑으며 물 위를 보니 용두산 그림자가 내려앉고 있었다.

어쩌다 가는 봄 한가운데 발을 들여놓은 나는 하늘을 올려다보며 심호흡을 한번 한 후 힘껏 노를 저어 강을 건너가기 시작했다.

느릿느릿 늦장을 부리며 왔던 봄은 올 때보다 빠르게 지나가고 있는 것이 분명했다.

20. 국수

밥은 매일 먹어도 질리지를 않는다고 하지만, 입맛이 없는 날이면 한 끼쯤 밥이 아닌 다른 것으로 때웠으면 하는 생각이 들 때가 있다.

주머니 사정이 넉넉하여 소문 난 고급음식점으로 찾아가서 가족들과 둘러앉아 오순도순 이야기라도 나누면서 맛있는 음식을 먹는다면 더할 나위 없이 좋겠지만, 장성한 자식들과는 떨어져서 살거니와 주머니 사정도 좋지 않다 보니 고급 음식점은 그림 속의 떡이 된지 오래다.

그렇다고 값이 싸면서도 입맛에 맞는 것을 마음먹은 대로 골라서 한 끼 식사로 해결하는 것 역시 자주 할 수 있는 일도 아니고 쉽게 할 수도 없다.

정 입맛이 없을 때면, 쉽게 한 끼 때우는 것으로 짜장면이나 짬뽕 한 그릇이면 충분 할 수도 있겠지만, 나이가 들면서 동네 중국집의 판에 박힌 그런 음식들이 싫어졌고 대신 손쉬운 음식으로 면 종류이면서도 중국음식보다 덜 기름 질 뿐 아니라 잘하면 담백하고 칼칼한 국물 맛을 볼 수 있는 칼국수를 즐겨 찾게 되었다.

그러나 사는 곳이 바다를 끼고 있는 곳이라서 그런지 근처의 칼국수 집은 하나같이 바지락 칼국수 집 일색이었고 좀 별나다 싶은 집은 손바닥만 한 가리비 한 개와 백합인지 뭔지 그런 걸 두어 개 더 얹어주는 대신 그 값어치만큼 음식 값이 더 비싼 집이었다.

자주는 아니지만, 그런 칼국수를 먹을 때면 국물이 시원한 옛날 국수 생각이 간절했고, 동네 근처에 그런 걸 만들어 파는 곳이 없을까 하고 눈 여겨 봤으나 우리 동네에는 그런 곳이 없었다.

그러던 어느 날, 집에서 버스 정류소 하나 떨어진 거리의 모퉁이에 잔치국수전문이라고 써 붙인 가게가 문을 연 것을 알게 되었다.

내가 생각하고 있던 옛날 국수가 어쩌면 잔치국수와 같은 것일지도 모른다는 생각에 벼르고 있다가 슬그머니 그 집으로 찾아갔다.

점심시간이 조금 지난 오후 2시경이었는데 네 명이 앉을 수 있는 식탁 여섯 개는 물론 한쪽 벽면에 이어 붙여 만든 간이 식탁에도 먼저 와 있던 사람으로 앉을 자리가 없었다.

주택가여서 근처에 회사 같은 게 있을 리 없었고, 그렇다면 손님 모두는 근처 동네에 사는 사람들이 분명하다는 것인데 도대체 나처럼 밥맛이 없어서 국수로 한 끼를 해결하려는 사람이 왜 그리 많은지 의심이 들었다.

주인인 듯한 중년 남자가 잠깐만 기다려 달라고 했고, 사람이 기득 찬 식당에서 멀뚱멀뚱 다른 사람들이 식사하는 광경을 바라보고 서있는 것이 멋쩍어 그냥 돌아 나올까 하는 생각이 들기도 했으나, 마음먹고 찾아온 길이기도 하지만 손님이 많은 것을 보니 국수 맛도 좋은 모양이라는 생각이 들어서 조금 기다려 보자는 쪽으로 마음을 굳혔다.

먼저 와서 자리를 차지하고 있는 손님 대부분은 잔치국수를 먹고 있었다.

후루룩대며 국수를 빨아들이거나 그릇을 집어 들어 국물을 마시는 사람들을 보고 있자니 군침이 돌아서 차례를 기다리는 것에 마음이 조급해졌다.

국수를 먹고 있는 사람들의 표정에서 주문한 국수가 맛이 있겠다는 기대가 생겼다. 이마에 흐르는 땀을 닦으며 일어서는 남자가 빠져나간 자리가 내 차지로 돌아왔다.

자리에 앉기 전에 미리 주문한 터라 금방 내게도 한 그릇의 잔치국수가 놓였다.

공동으로 사용하여 덜어 넣게 되어 있는 양념장의 그릇 주위가 좀 지저분하여 기분이 찜찜하여 일단은 양념장을 넣지 않은 상태로 국물의 맛을 봤다.

진한 멸치 육수 맛이었으나 첫맛이 어딘지 모르게 깔끔한 맛이 아니고 텁텁한 게 싸구려 멸치 맛이라는 생각이 들었다.

국수사리 위에 고명으로 얹혀 있는 잘게 썬 묵은 김치도 성에 차지 않았다.

그러나 내 몫이라는 생각으로 군말 않고 국수를 잘 저은 후 한 젓가락 집어 올려 먹기 시작했다. 생긴 모양으로 지레짐작했던 것보다는 먹을 만했으나 기대했던 맛은 아니라는 생각이 들었고, 나도 모르게 옛날 어머니가 삶아 줬던 국수 맛을 떠 올리고 있었다.

사람들은 어쩌다 토속적인 음식을 먹을 때면 곧잘 고향을 들먹였고, 어머니나 할머니의 손맛을 기억해내곤 하는 것을 티브이 같은 데서 봤던 것처럼, 나 역시 변변찮은 한 그릇의 국수를 눈앞에 두고 까마득한 어린 시절 고향 집에서 먹었던 국수의 맛을 기억해 내고 있었던 것이었다.

가을 추수가 끝나면 외할아버지께서는 손수 농사를 지으신 밀을 소달구지에 싣고 오셨고, 집에서 멀지 않은 우시장 터 안쪽에 있는 방앗간을 겸한 국숫집에 밀을 갖다 맡겼다. 밀을 빻아 밀가루가 되고 밀가루가 몇

대의 기계 속에 들락거리고 나면 발이 기다란 국수가 되어 나오는 공정을 신기하게 구경했고, 채 마르지 않은 눅눅한 국수 가락이 꼬챙이에 걸려 건조대에 널려 있는 사이로 돌아다니면서 국숫발을 잘라 먹기도 했다.

“물 킨다. 그만 먹으라.”

보다 못한 어머니가 말렸지만 건건찝찔한 덜 마른국수는 한 번 먹기 시작하면 계속 먹게 되는 중독성이 있었다.

동생과 내가 국수 공장 안을 휘저으며 돌아다니는 사이에 건조대에 널었던 국수는 꾸덕꾸덕 다 말랐고, 어른 한 뼘 조금 넘는 길이로 작두로 자른 국수는 가져갔던 나무 상자에 담기만 하면 되었다.

그렇게 하루가 끝나기 전에 완성된 국수는 거의 한 해를 두고 먹는 새참용이거나 한 끼를 대신 할 수 있는 중요한 양식이었다.

아버지가 운영하는 공장에서 생산하는 제품의 주문이 밀릴 때는 한 달에 네댓 번도 더 연장 근무를 했으므로 그때마다 새참으로 내 놓는 것은 국수였다.

스무 명이 넘는 사람이 먹어야 할 국수를 삶는 일은 쉬운 일이 아니었다.

부엌에 큰 가마솥이 있었지만, 국수를 삶을 때는 수돗간 근처에 임시로 만들어 사용하는 아궁이를 이용했다.

장작불이 이글거리면서 타올랐고 불땀을 잘 받은 큰 무쇠솥의 물이 끓기 시작하면 어머니는 국수 다발을 헐어서 국숫발을 부채 살처럼 펼쳐 물이 끓는 솥에 넣은 후 큰 주걱으로 잘 저었다.

부글부글 거품을 일으키며 국수가 익는 걸 봐가면서 냉수를 한 사발씩 끓는 물에 부어가며 삶은 다음 바로 찬물로 헹구어야 국숫발의 감촉이 쫄깃하게 살아난다고 했다.

고향의 자랑거리 중 하나인 지하수는 한여름에도 이가 시릴 정도로 차가웠다.

지하 깊은 곳에서 퍼 올린 물이 차갑기만 하다면 굳이 자랑거리가 될 수 없겠지만 고향의, 특히 우리 집의 물맛은, 맛이라고 하기보다 입안에 물이 들어가는 순간 입 안 전체가 갑자기 환해지고 깨끗해지는 상쾌함을 느끼게 했으므로, 우리 집의 차고 깨끗한 물은 마셔 본 사람들은 바로 좋아할 수밖에 없는 그런 물이었다.

그렇게 차고 좋은 물로 서너 번도 더 헹군 국수는 똬리를 틀 듯 사리로 만들어져 물이 잘 빠지는 소쿠리에 담겼다.

동생과 나는 국수를 헹구는 내내 교대해 가며 펌프질하기에 바빴고 수시로 헹구어 낸 국수를 한 움큼씩 집어 먹기에 바빴다.

사실, 국수 맛은 맛보기 삼아 먹어 보는 막 삶아 헹구어 낸 물기가 덜 빠져 윤기가 쪼르르 흐르는 국수가 제일 맛있는 국수라는 생각은 지금도 변함이 없다.

차랑차랑 살아있는 듯한 촉감이 입 안 가득 들어와서 미끄러운 목 넘김으로 이어지는 그 맛은 육수 맛과 고명 맛이 아니더라도 국수를 탐하기에 충분했다.

"나중에 안 먹을 건가? 양념도 없이, 무슨 생 국수를 그리 많이 먹노?"

어머니는 아들 둘이 번갈아 가며 국수를 집어 먹는 걸 구태여 말릴 생각도 없는 듯 건성으로 말씀했고 우리들도 그 말을 귀담아듣지 않았다.

어느새 해는 뉘엿뉘엿 기울어 마당의 감나무 잎에는 불그스레한 햇발이 내려앉기 시작했고 마당을 밝히는 외등의 불이 켜졌다.

달리 식당 같은 것이 없었으므로 나이가 좀 든 어른들은 마루 위에 차려진 밥상 앞에 앉았고, 젊은 축에 드는 사람들은 감나무 아래의 평상 위에 자리를 잡고 앉아 새참을 먹기 시작했다.

시작이라는 표현을 썼지만, 시작이라는 말이 무색할 정도로 각기 자기 몫의 국수 그릇이 놓이기 바쁘게 양념장을 적당히 끼얹고는 젓가락으로 두어 번 젓고 나면 바로 후루룩 소리가 났고 세 젓가락도 떠먹기 전에 그릇은 바닥이 나기 마련이었다.

인심이 후한 어머니는 새참으로 내놓는 국수 그릇은 아예 큰 대접으로 사용했고 한 그릇으로는 양이 차지 않을 것이라는 걸 그동안의 경험으로 잘 알고 있었으므로 항상 국수는 푸짐하게 삶아 냈다.

육수 역시 멸치나 다시마 같은 걸 아끼지 않았고 감꽃이 막 피기 시작한 그때쯤은 고명으로 사용할 부추(우리 고향에서는 정구지라고 표현했다.)를 질기지 않도록 끓는 물에 살짝 대처서 참기름과 다진 마늘 따위를 섞은 양념으로 버무리어 내놓았다.

그랬다. 국수는 잘 우려 낸 멸치 육수에 부추 고명을 듬뿍 얹은 다음, 오래 묵은 재래 간장에 갖은 양념이 들어간 양념장으로 간을 맞춰주기만 하면 달리 다른 반찬이 필요 없었다.

나와 동생도 한자리 차지하고 앉아서 누가 많이 빨리, 그리고 많이 먹는지 내기가 벌어졌다.

국수를 삶아 헹굴 때 몇 번 집어 먹은 국수만 해도 한 그릇이 되고도 남을 양이었을 텐데도 또 한 대접씩 차지하고 더 많이 먹기 시합을 벌이고 있었으니 우리 형제의 국수 사랑은 대단했던 모양이었다.

동네 국숫집에서 사 먹는 국수 한 그릇으로 아주 오래된 고향 집에 있었던 어느 날의 저녁나절이 생각났고, 이십 수 년 전 세상을 떠난 동생까지 떠 올리게 되었으니 이래저래 오늘 먹어 보는 국수는 맛을 따지기보다 향수와 그리움을 고명 삼아 국수 한 그릇을 말아 먹는다고 생각 해야겠다.

21. 밀대낚시

5월 하순이라서 여름이라기엔 이른 것 같은데 고향의 어제 온도가 삼십오 도 오 분이었다고 뉴스에서 알려 주었다.
지구가 온난화되어간다는 말은 자주 들었지만, 날씨가 더워진다니 고향에서 사는 사람들의 생체 리듬에 변화가 생길지도 몰라 걱정이다.

어렸을 적엔 이렇게 무더운 날이면 만사 제쳐 놓고 강으로 내달렸다.
그냥 멱이나 감으려고 가기도 했으나 멱 감기는 조금만 시간이 지나면 시들해졌으므로 고기잡이라도 하게 되면 더위도 잊게 되고 시간도 금방 지나갔다.
읍내 시장 통의 그릇 가게에서 산 어항을 사용하여 고기를 잡기도 했지만, 유리 어항은 조심스럽게 다루지 않으면 깨트리기 십상이어서 그만큼 부담스러운 물건이었다.
고기를 꼬여내기 위해서는 어항 속에 넣을 들깻묵도 필요했다.
기름집에서는 들기름을 짜고 남은 깻묵을 팔기도 했는데 커다란 대접만 한 둥그런 깻묵 한판의 가격도 만만치 않아서 용돈을 털어서 사기엔 부담이 되었다.
깻묵을 살 용돈을 뜯어낼 방법이 없어서 어항 놓기가 여의치 않을 때는 밀대 낚시로 대신하면 되었다.

밀대 낚시는 견지낚시와 거의 같은 방법으로 주로 여울에서 피라미 따위를 낚는 것을 일컫는 것인데 어쩌면 우리 고향 근처에서만 통용되는 말이었는지도 모르겠다.

두어 발 정도 길이의 대나무 낚싯대에 그보다 조금 짧은 낚싯줄 끝에 낚시를 맨 후, 낚시보다 한 뼘 정도 윗부분쯤에 물 위에 뜰 수 있는 양초를 녹여 만든 찌를 붙들어 맨 것이 장비의 전부였고, 그렇게 만든 낚싯대를 수면 위에 늘어뜨려 밀었다 당겼다 하면서 낚시를 한다고 해서 밀대라는 이름이 붙었을 것이었다.

낚시 미끼는 현지 조달이 가능한, 물속에 사는 벌레였다.

아마 하루살이 종류인 날 벌레의 애벌레였을 것 같은데 이름도 모르는 체, 좀 징그럽게 생긴 이 벌레를 그냥 물벌레 혹은 돌 벌레라고 불렀다. 물결이 잔잔한 곳에서는 볼 수 없었고 여울진 강물 속에 오래 박혀있던 돌을 뒤집으면 끈적끈적한 액체를 사용하여 모래 알갱이보다는 조금 더 큰 자잘한 돌멩이로 집을 지어 그 속에서 살고 있었다.

몸통이 진한 고동색인 것도 있었고, 시커멓다고 표현하는 게 알맞을 그런 애매한 색깔인 놈도 있었는데 집게처럼 날카롭게 생긴 주둥이로 손을 물기도 했다.

이 벌레 한 마리면 피라미 서너 마리쯤 낚을 수 있는 미끼가 되었다.

미리 많이 잡아 둘 것도 없이 그때그때 필요할 때면 시원한 강물에 퍼져 앉아서 엉덩이를 미적미적 밀어 장소를 옮겨 가면서 돌멩이를 뒤집다가 벌레가 발견되면 잡아내던 것이었다.

강으로 가기 위해서는 물기라곤 찾아볼 수 없는 맨땅의 군청 길을 따라 걸어야 했고, 군청의 블록 담이 뿜어내는 열기가 더해져서 어느새 온몸은 땀에 흠뻑 젖게 마련이었다.

블록 담이 기역으로 꺾어지면서 신작로와 만나게 되고 폭이 별로 넓지도 않은 신작로만 건너면 신기하게도 금방 바람의 냄새부터 다르다는 걸 느낄 수 있는 솔밭이 펼쳐져 있었다.

신작로에서 지척인 솔밭을 끼고 있는 공설운동장은 소나기처럼 쏟아져 내린 땡볕으로 후끈 달아 있었다.

운동장 바닥의 열기를 피해서 키 큰 소나무들이 빽빽한 솔밭으로 들어서면 은은한 송진 냄새를 머금은, 말 그대로 솔바람이 불어와 땀에 전 전신을 시원하게 식혀 주었다.

비가 오지 않은 날이 꽤 오래 계속되었으므로 강물은 많이 줄어 있었다.

철교 밑을 지나와서 양쪽으로 갈라져 흐르는 강물 중 모직회사 옆으로 흐르는 강은 바닥을 들어낸 지 오래되었고 읍내 쪽으로 향해 흐르는 강은 여전히 흐르고는 있었지만, 강폭은 아주 좁아져 있었다.

소나무가 우거져 있는 솔밭 앞의 축대를 겸한 돌계단이 반 이상 모습을 드러내고 있는 것을 보니 강물은 평소보다 반 이상 줄어든 것 같았다.

여간 가물지 않고서야 강바닥을 드러내지 않겠지만 취수장 못 미친 곳에 있는 여울의 강폭 역시 많이 좁아져 있었다.

보통 때는 허리 정도로 물이 깊었던 곳이 겨우 정강이 근처에 닿을 정도였다.

강물이 줄어들면 고기들은 용하게 눈치를 채고 좀 더 강물이 깊은 곳으로 옮겨가는 모양이었다.

맑았던 강물이 탁하다는 느낌이 들 정도로 칙칙하기도 했고 내리쬐는 햇볕으로 수온이 좀 높아지기도 했겠지만, 피부에 와 닿는 물결의 온도도 미지근하다는 느낌이 들었다.

이런 상태라면 제대로 낚시가 될 리가 없다는 걸 알면서도 준비해 온 낚시를 포기할 수는 없었다.

운이 좋으면 가끔 걸려드는 손바닥 보다 큰 누치는 고사하고 피라미라도 제대로 걸려들지 알 수는 없었지만 일단 시작해 보기로 했다.

물의 양이 줄어든 만큼 물살의 세기도 많이 약했다.

그렇지만 강바닥에 오랫동안 깔려 있었던 돌멩이들은 여전히 미끄러워서 발을 잘못 디뎠다가는 미끄러져 넘어질 수가 있었으므로 조심해서 물벌레가 살고 있음직한 돌멩이를 찾기 시작했다.

두 주먹을 합친 것보다 조금 더 큰 세 개짼가의 돌멩이를 찾아 뒤집었더니 돌멩이 바닥에 납작하고 끈적끈적한 물벌레의 집이 붙어 있는 것이 보였고, 그 속에 숨어 있는 물벌레 한 마리를 잡을 수 있었다.

자주 만지는 벌레이긴 했지만, 이놈은 만질 때마다 징그러운 느낌을 떨칠 수가 없었다.

손바닥 위에 올려놓으면 몸통이 꿈틀대면서 햇볕에 반짝이는 진한 고동색의 색감도 보기에 거북했고. 날카로운 주둥이를 내보이며 고개를 빳빳이 세우고 두리번거리는 모양도 징그러웠다.

벌레의 항문 쪽에 낚싯바늘을 끼면 고통 때문에 그러는지 알 수 없었지만 저항하듯 몸통을 비트는 걸 무시하고 이제는 미끼가 돼버린 벌레를 살그머니 수면 위에 내려놓았다.

엄지손가락 첫 마디 정도 크기의 양초로 만든 찌는 여울이 치는 물결 위에 동동 떠 있었고, 찌 아래 매달린 미끼인 물벌레 역시 양초가 물 위에 떠 있는 것처럼 물결 따라 폴짝거리는 것이 마치 살아 있는 벌레가 물 위에서 장난치듯 까부는 모습과 흡사했다.

내가 할 일은 물속에 있는 고기가 미끼를 볼 수 있도록 수면에 가깝게 늘어트린 낚싯대를 이리저리 옮겨 가면서 수면 위로 미끼를 나푼나푼 띄우면서 끌고 다니는 것이었다.

강폭이 좁아졌기 때문에 많이 움직이지 않아도 되었다.

짐작했던 것처럼 고기의 입질이 없었다.

5분 이상 미끼를 끌고 다녀서 그런지 미끼 상태가 너덜너덜해져서 고기가 미끼를 발견하더라도 물려고 덤벼들 상태가 아닌 것 같았다.

더위도 식힐 겸 철버덕 물에 주저앉아 온몸에 물을 한 번 덮어쓴 뒤 다른 미끼를 찾기 위해 다시 돌멩이 뒤집는 짓을 시작했고, 새로 잡은 물벌레를 낚시에 끼우는 등 일련의 작업을 되풀이했다.

새로 낀 미끼가 싱싱해 보여서 그랬던지 낚시를 물에 띄우자마자 금방 피라미 한 마리가 잽싸게 미끼를 덥석 물었다.

낚싯줄이 팽팽하게 당겨졌고 낚싯대를 잡은 손에 피라미가 요동치는 힘이 느껴졌다.

얼른 낚싯대를 내 몸 쪽으로 낚아챈 후 높이 들어 올렸다.

낚아채는 방법도 요령껏 해야지 자칫 힘을 주게 되면 낚시에 걸린 피라미는 입술만 남겨 둔 채 몸통은 떨어져 나가버릴 때도 있었다.

낚시에 걸린 피라미가 은빛 포물선을 그으며 허공으로 날아올랐다.

낚싯줄이 움직임을 멈추자 중간 손가락 정도 크기의 피라미가 파들파들 몸을 떨며 허공에 매달려 있었다.

낚싯대를 곧추세우자 내 몸 쪽으로 피라미가 옮겨 왔다.

왼손을 뻗어 피라미를 잡으니 손아귀에서 벗어나려고 안간힘을 쓴다.

낚싯대를 내려놓고 피라미를 낚시에서 떼어 냈다.

따로 고기를 담아 둘 그릇을 준비해 오지 않았으니 마땅히 피라미를 보관할 데가 없었다.

낚시에 걸린 고기는 입술 주변에 낚시로 인해 생긴 상처 때문에 어차피 오래 살지를 못했으므로 살려서 보관 할 필요도 없었다.

그렇더라도 당장은 살아 있는 고기를 보관 해 둘 장소가 필요했다.

강 가장자리 중에서 자갈 몇 개를 들어내면 물이 고이는 자리를 골라서 고기가 빠져나가지 못하게 모래가 섞인 자갈로 둥그렇게 성을 쌓은 후 낚시에서 떼어낸 피라미를 집어넣었다.

기운이 빠진 피라미는 배를 드러내고 드러누운 채 아가미를 할딱대고 있었다.

물 밖에서 시간을 끌었으므로 지쳐서 그럴 수도 있었을 테고 낚시에 걸린 입술의 상처 때문에 그럴 수도 있었을 것이었다.

다시 낚시가 시작되었고 심심하지 않을 정도로 피라미가 낚였다.

먼저 잡은 놈 중 몇 마리는 숨을 거둔 채 물 위에 떠 있었다.

당장은 버리기가 아까워서 배를 따서 창자를 꺼낸 후 강물에 몸통을 두어 번 저어 씻은 후 햇볕을 받아 따끈따끈한 돌 위에 널어 두었다.

나머지 고기들도 살펴보았더니 제대로 멀쩡한 놈이 없는 것 같았다.

아가미를 할딱거리고 있긴 했지만, 숨이 끊어지는 것은 시간문제였으므로 한 마리씩 잡아내어 배때지를 따서 아까 했던 것처럼 돌바닥 위에 널었다.

강에서 잡은 피라미이긴 하지만 잘 말리면 멸치가 될 수 있다는 내 주장과 민물고기는 절대로 멸치로 만들 수 없다는 친구의 주장으로 옥신각신했던 적이 있었지만 1년이 지난 지금까지 결론을 얻지 못했고, 나는 아직 피라미를 잘 말리면 멸치가 될지도 모른다는 생각은 떨쳐내지 못하고 있었다.

그런데 문제는, 멸치가 되었든, 산 놈이 되었든 피라미 몇 마리를 달랑 들고 쫄레쫄레 집으로 갈 수는 없다는 것이었다.

꼴랑 피라미 몇 마리로는 반찬거리가 되지 않을 뿐 아니라, 설령 반찬거리가 된다고 해도 요리하는 고모나 어머니는 내가 잡아들이는 피라미 따위를 아주 귀찮게 여겨 고기잡이하는 것 자체를 싫어했다.

이참에 과연 피라미도 멸치가 될 수 있을지를 시험해보는 셈 치고 널어놓은 피라미가 완전히 마르도록 몇 날 며칠 그냥 둬보는 것이 좋을 것 같다는 생각을 하며 오늘 낚시를 끝내기로 했다.

강물이 굽이쳐 산자락을 훑으며 지나가다 만난 다리 위로 사람들이 지나다니는 것이 보였다.

다리 끝에 어슷하게 비켜선 느낌으로 우뚝 서 있는 누각, 그 아래 대숲에 바람이 지나가는지 대나무들이 일제히 고개를 숙인 모습이었고, 그 너머 아스라이 먼 산봉우리 위로는 놀구름이 서서히 내려앉고 있었다.

22. 구슬치기

나는 초등학교라는 말에 거부감을 가지고 있다.

보관하고 있는 졸업장에는 엄연히 국민학교라고 되어있을 뿐 아니라 몇십년을 국민학교라는 말을 사용하며 살았고, 그 단어가 이미 입에 익어있고 굳어있는 판에 왜색이니 뭐니 해서 초등학교라는 말로 바꿔버린 처사가 심히 못마땅한 것이다.

그래서 국민학교, 감히 국민학교 4학년 때 세 개의 학급이 교실 부족으로 강당에 한꺼번에 수용되어 궁핍하게 수업을 받았던 그 시절 어느 날의 기억을 더듬어 본다.

4학년이 되면서 남녀 따로따로 반이 편성되어 여자 동기들과 친해질 기회는 잃었지만, 교실이 부족하여 넓은 강당에 칸도 치지 않고 세 학급이 사용한 덕택에 각 반의 남자들과 어울려 놀 수 있었기에 남자친구들은 더 많이 알게 된 기회를 얻었던 것만은 분명하다고 생각한다.

1, 2, 3학년 때도 그랬지만, 4, 5, 6학년 역시 같은 학우를 같은 반으로 편성되었으며, 심지어 5, 6학년은 담임까지 중임하게 한 처사는 학교장의 무능과 안이한 판단 때문이라던 동기 누군가의 주장에 전적으로 동감한다.

강당에서 수업을 받던 4학년 때 우리 반의 이O도는 키도 크고 싸움도 잘했다.

대부분 반 아이들은 그를 두려워하여 그와 어울리기를 싫어했다.

지금은 어떤지 모르겠지만 당시 우리 또래의 놀이 대부분은 무슨 시합이나 내기였다.

우리끼리 놀이를 하고 있으면 어떻게 알고 왔는지 그가 득달같이 쫓아와서 다른 친구의 의견 따위는 무시하고 우격다짐으로 끼어들기를 했다.

그러면서도 놀이 중에 조금이라도 자기가 불리하다고 생각되면 판을 뒤집어 버리기 일쑤였다.

우리가 사용했던 말로 따까리 부리기 선수였다.

따까리라는 말은 떼거리라는 말의 사투리며 떼는 부당한 요구나 청을 들어달라고 고집하는 짓이라고 사전에 나와 있다.

다시 생각해봐도 그는 과연 따까리의 일인자임이 분명했다.

그가 어느 날 딱지치기에 끼워달라고 했다.

만화 주인공이나 영웅 등의 이름이나 계급장이 그려진 작은 딱지를 각자 스무 장에서 서른 장 정도 태워놓고 종이로 접은 큰 딱지로 작은 딱지를 한두 장 떨어트려 정해둔 글자 수를 먼저 맞추는 친구가 태워놓은 딱지를 전부 따먹는 그런 놀이를 우리 또래 남자들은 기억 할 것이다.

노는 시간이나 점심시간을 이용하여 강당 뒤편 화장실 가는 길목에서 딱지치기를 하곤 했는데 그가 끼워달라고 하니 아무도 못하게 할 재간이 없었다.

놀이가 두 판도 지나지 않았는데, 아니나 다를까 그가 따까리를 부리기 시작했다.

글자 맞추기에서 딱지의 주된 글자만 인정하는 것이 통상의 법칙이었는데 그는 그림 속의 글자도 인정해야 한다고 우기는 것이었다.

예를 들자면, 그림 속의 주인공 뒤 그림의 전신주에 〈반공〉이라는 글씨가 씌어있으니 그것도 인정하라는 것이다.

〈반공〉의 글씨 중 〈반〉자는 확실한데 〈공〉자는 반도 안 되게 잘려져 있는데도 두 개의 글자로 인정하라고 따까리 세우고 우기니 모두 기가 막힐 뿐이었다.

우격다짐으로 그는 우리들의 딱지를 따먹고는 강당으로 들어가 버렸고, 힘없는 우리들은 앞으로는 다시 그를 딱지치기에 끼워주지 말자는 감당 못 할 약속으로 분을 풀 수밖에 없었다.

며칠 뒤 나는 그를 이겨 먹을 묘책을 궁리해냈다.

구슬치기 중에 "이찌 니 상"[いち,に,さん]이라는 쥐기 게임이 있었다.

우리말의 하나, 둘, 셋을 일본말로 사용하여 오야 (おや 혹은 おやぶん으로 우두머리라는 뜻이기도 하지만, 여기서는 승자가 맞을 듯)의 손안에 숨겨서 쥐고 있는 구슬의 개수를 알아내는 게임으로 보통 서너 명이 둘러앉아서 하는 게임이었다.

묘안이라기보다 꼼수를 짜낸 나는 그를 끌어들였다.

강당 입구 옆쪽에 네 명이 둘러앉아 게임이 시작되었다.

오야는 다른 친구가 보지 못하게 양손을 등 뒤로 감추고 몇 개의 구슬을 한 손에 움켜쥔 후 둘러앉은 친구들 앞에 내려놓는 것이었다.

게임을 하는 친구들은 오야의 표정과 몸짓으로 움켜쥔 구슬의 개수를 짐작하여 바닥에 그려져 있는 숫자판에 구슬을 걸었다. (일본말 사용을 억제해야 되는데 우리말로 바꿔 부를 적당한 말이 없어서 이해를 돕기

위해 부득이 "겐또" [けんとう[見当]] 때린다. 라는 말을 사용했음을 알린다.)

오야가 쥐고 있는 구슬 수를 알아맞힌 친구는 내기에 건 구슬 수만큼 따게 되고 오야의 권한도 갖게 되는 것이었다.

오야의 구슬 수를 아무도 못 알아내면 내기에 건 바닥의 구슬 모두는 오야 차지가 되고 당연히 오야의 권한도 계속되는 것이었다.

몇 판을 잃으며 기회가 오기를 기다린 끝에 드디어 나에게 기회가 찾아왔다.

속으로 회심의 미소를 지으며 편안하게 양반다리를 하고 앉은 자세를 꼿꼿이 세운 후 양손으로 구슬을 감싸 쥐고 흔들면서 오른손에 네 개의 구슬을 감추었다.

오른손을 앉은 자세로 유지하고 있는 바지 앞쪽에 천천히 올려놓았다.

여자들이야 쓸모가 없겠지만, 남자들은 꼭 필요한 것이 바지 앞쪽의 오줌 구멍이었다.

필요할 때엔 단추를 빼고 사용하도록 만들어져 있었다. (요즘은 단추 대신 지퍼가 달려있지만)

구슬을 쥔 오른손을 오줌 구멍 위에 올려놓은 나는 게임에 참가한 친구들의 부르는 숫자에 따라 구슬 수를 조정하는 것이었다.

손아귀에 네 개를 쥐고 있음으로 네 개를 지정 (찍는다고 했다)하는 친구만 없으면 내가 이기는 것이었다.

첫 번째 친구가 상[さん(三)]이라고 외치고 구슬을 걸었다.

나는 몸을 좌우로 흔들며 상대를 놀리는 한편 다른 친구들의 시선도 빼앗았다.

두 번째 친구가 호기 있게 용[よん[四]]을 외치고 구슬을 걸었다.

두 번째 친구가 내가 손안에 쥐고 있는 구슬 수를 바로 맞혔지만, 태연함을 가장하고 아까보다 더 혼란스럽게 상대의 관심을 흐리는 동작을 하며 약을 올렸다.

"죽은 놈 X을 빼 봐라! 용[よん[四]]이 나오나!"

그러면서 가만히 손에 쥐고 있던 구슬 중 두 개를 살그머니 오줌 구멍으로 떨어트렸다.

손엔 두 개의 구슬만 남았고 지정되지 않은 개수는 이찌와 니[いち, に]뿐이었다.

남은 친구가 무얼 지정하던 문제가 되지 않았다.

이찌[いち(一)]를 지정하면 쥐고 있는 구슬이 두 개이므로 기세 좋게 손을 펼쳐 보이고 바닥의 구슬을 긁어오면 되었고, 니[に(二)]를 지정하면 오줌 구멍으로 구슬을 하나 더 떨어트리면 되는 것이었다.

이런 방법으로 노는 시간이 끝날 때까지 오야의 지위를 유지했다.

수업 시작종이 울리고 게임 하던 친구들이 우르르 일어나서 제자리를 찾아가는 모습을 본 후 천천히 일어섰다.

오래 앉아 있어서 다리에 쥐가 난 시늉을 했다.

몇 번의 게임으로 오줌 구멍에 떨어트려서 모은 구슬 수가 상당했다.

섣불리 일어서면 자칫 구슬이 한꺼번에 아래로 몰려가는 소리가 크게 날 것이었다.

소리 나는 것을 예방하기 위한 속임수로 일부러 쥐가 난 시늉이라도 해야 했다.

바지 밑단을 미리 양말 속으로 집어넣었으므로 구슬이 밖으로 빠져나올 염려는 없었다.

끝까지 상대를 속여야 했다.

자리로 돌아갈 때까지 엉거주춤, 쥐가 난 행동을 하면서 걸었다.

자리에 돌아와 앉은 후 적당히 기회를 보고 구슬을 빼내면 되는 것이었다.

수업이 끝나자 게임에 져서 구슬을 잃은 친구들이 먼저 설쳐댔다.

본전을 찾겠다고 덤볐지만 어림없는 소리였다.

승부욕이 강한 이O도의 도전이 제일 심했다.

이럴 땐 여유를 부리는 게 상대를 더 약 올리게 한다는 건 삼척동자도 아는 것이었다.

"너, 이 새X! 내 구슬 따먹고 배짱부리나?"

'욕이 배 째고 들어 오나?'

못 들은 척하고 있으면 다른 친구들도 합세했다.

노는 시간은 잠깐이었다.

조금 버티다가 화장실 다녀오면 바로 수업이 시작될 게 뻔했다.

약이 오른 친구들은 다음 노는 시간엔 봐 주지 않을 것이었다.

예상했던 대로 친구들의 재촉이 심했으므로 하는 수 없다는 표정으로 게임에 응해 주었다.

잃은 자는 본전 생각에 처음 보다 많은 수의 구슬로 승부를 걸게 마련이었다.

나는 여유만만하게 놀아 주었다.
가끔 휘파람도 불어가면서 상대의 심기를 불편하게 만들었다.
물론 오줌 구멍 속으로 구슬을 밀어 넣을 때 상대가 눈치 못 채게 하기 위해서였다.

그해에 나는 숱한 구슬을 땄다.
매번 오줌 구멍을 사용하지 않았는데도 쥐기 게임엔 강했다.
나중엔 나하고 구슬치기를 하면 다 잃게 된다는 소문이 나서 나를 끼워 주겠다는 친구가 없을 정도였다.
이제 고백한다.
그때 나한테 구슬치기에 사기(?) 당한 친구들아!
정말 미안하다.
키 크고 싸움 잘한다고 걸핏하면 따까리 부리던 이O도를 한번 겨루어(경상도 사투리로 "깲아보다") 보려고 써먹은 꼼수에 덩달아 당한 친구들이 많이 그립다.

몇 년 전 동기 모임에서 이O도를 중학교 졸업 후 처음 만났는데 사람이 완전히 바뀌어 있었다.
주위 친구들이 따까리 잘 부리던 그를 세상에 보기 드문 신사라고 칭찬하는 소리를 들으며 내 꼬락서니를 돌아봤다.
딱지 몇 장 잃은 분풀이로 밤새 궁리한 꼼수로 친구를 골탕 먹였던 그런 재주(?)는 돈 버는 재주와는 상관없는 것인지……
속절없이 늙어 버린 영감이 허망한 표정으로 또 하루를 보내고 있다.

23. 어항 놓기

어머니의 잔소리가 또 시작되었다.

스무 남은 명 되는 종업원의 월급 지급이 끝나면 시루떡 고물 떨어지듯 우리들에게도 얼마간의 용돈을 쥐여 주곤 했는데, 그때마다 어머니는 우리에게 무슨 말이든 꼭 해야 직성이 풀리는 모양이었다.

"제발 동생들에게 모범을 좀 보여라. 용돈 받았다고 어항이나 사서 먹지도 못하는 고기나 잡아 나르지 말고…"

벌써 마음을 먹고 있었던 것을 어머니가 말린다고 안 할 수는 없었다.

어머니가 하라는 대로 고분고분 말을 잘 듣는 축에 속했지만, 다른 건 몰라도 고기 잡으러 가는 짓만은 쉽게 그만둘 수가 없었다.

민물고기는 입에도 대지 않으면서 유독 고기를 잡는 것에는 왜 그리 집착을 하는지 영문을 알 수가 없는 노릇이었다.

용돈을 받자마자 한걸음에 읍내 시장 안에 있는 그릇 가게로 달려갔다.

어항을 깨트려버려 어항 놓기를 못 해 본지가 열흘도 넘었으므로 그동안 좀이 쑤시는 걸 참느라 딴에는 애를 먹었다.

어항 놓는 재미가 눈에 삼삼하여 어항 대신 사발모찌라는 것도 해 봤는데 도통 재미가 없어서 두어 번 해보다가 그만두기도 했다

사발모찌라는 건 추측하건데 대접처럼 생긴 그릇을 이용해서 (もちいる[用いる]) 뭘 한다는 뜻의 우리말과 일본말을 혼합하여 사용했던 말의 찌꺼기가 그냥 남아 있었던 말 같았는데, 말 그대로 큼직한 사발에다 흰

천을 씌운 후 고무줄로 흰 천이 빠져나가지 않게 사발의 둘레에 묶는 것이 우선 할 일이었다.

미리 흰 천의 중앙에는 손가락 굵기 정도의 구멍을 뚫었으며 구멍 가장자리를 돌아가며 된장을 발라서 냄새가 나게 한 다음 주로 피라미가 잘 노는 느린 여울이 있는 강물 속의 돌멩이 틈바구니에 살짝 놓아두는 것이었다.

당연히 물살에 떠내려가지 않게 사발의 둘레를 돌멩이로 고정해 놓아야 했다.

어항을 놓는 방법도 거의 같았다.

여울이 조금 있는 곳이라야 피라미들이 많았으므로 여울에 어항이 떠내려가는 걸 미리 막기 위해서 어항의 두 배 정도로 높고 넓게 돌담을 쌓아 여울이 넘어 오지 않도록 했고, 돌담 앞쪽은 평평하게 한 후 작은 자갈 같은 것을 깨끗이 치워내야 했다.

자칫 물살에 작은 돌멩이가 떠 내려와서 어항을 깨트릴 수도 있었으므로 사전에 대비 해두어야 했다.

어항 3개를 갖고 왔으므로 놓을 자리도 세 군데를 만들어야 했다.

전에 어항을 놓았던 자리 중 고기가 잘 잡혔던 곳은 다시 사용해도 되었지만 그렇더라도 새로 손을 봐야 했다.

어항의 아가리는 물이 통할 수 있도록 헝겊으로 막은 후 고무줄로 동여매어서 빠지지 않도록 했고 들깻묵을 적당히 넣은 뒤 물을 조금 받아서 들깻묵과 섞어 흔들어서 들깻묵의 고소한 냄새가 잘 퍼져 나가도록 한

다음 아까 만들어 뒀던 자리에 어항을 놓으면 되는 것이었다.

어항에 물이 덜 차서 공간이 생기면 어항이 떠내려갈 수도 있음으로 어항의 꽁무니부터 물에 담그면서 공기도 생기지 않도록 하는 한편 들깻묵도 씻겨 나가지 않도록 조심해야 했다.

아가리를 막은 헝겊 사이로 보글보글 거품이 나오면서 들깻묵 냄새도 따라 나오는지 어항을 놓기도 전에 성질 급한 피라미들이 어항 주위에 몰려드는 것이 보였다.

조심스럽게 어항을 강바닥에 내려놓고 혹시 떠내려갈 것을 방지하기 위해 조금 큰 돌로 어항을 살짝 고정해 놓았다.

어항을 놓고 미처 돌아서기도 전에 피라미 한 마리가 어항으로 들어갔고, 금방 갇혀 버린 걸 알게 된 피라미가 어항 속에서 탈출하려고 요동을 쳤다.

피라미가 일으키는 물결 따라 들깻묵이 따라 움직였고 고소한 냄새가 어항 밖으로 쏟아져 나왔을 것이었다.

보고 있는 동안에 어항 근처에는 피라미들이 떼로 몰려왔다. 성질 급한 놈은 금방 어항으로 들어가는 것도 보였다

어항 3개를 적당한 사이를 두고 놓고 난 후 고기가 들어갈 때까지 한참 시간을 두고 기다리는 동안 곧 잡게 될 고기를 산채로 보관할 장소를 만들어야 했다.

낚시로 잡은 피라미와 달리 어항으로 잡은 피라미는 아주 싱싱하고 활발해서 어지간한 높이는 훌쩍 뛰어넘거나 조그만 틈새만 있어도 후비고 들어가 도망을 갈 수 있었으므로 꽤 높고 틈새가 없는 살림 못을 만들어

야 했다.

자잘한 자갈과 모래로 고기가 빠져나갈 틈이 생기지 않도록 수면보다 높게 둑을 쌓는 게 먼저 해야 할 일이었다.

강 쪽으로는 촘촘하게 왕모래를 사용하여 기초를 만든 뒤 그 위에 큼직한 돌로 방패를 친 둑을 만들었고 뭍 쪽은 자갈 따위로 대강 마무리했다.

뭍으로 뛰어나오는 놈은 도망을 가는 게 아니고 죽으러 나오는 것이니까 별로 신경을 쓰지 않아도 되었다.

고기를 모아서 살려 둘 살림 못도 만들었으니 이제 적당한 시간이 되면 물속에 넣어 둔 어항을 꺼내 오기만 하면 되었다.

고기가 들어갈 시간을 재는 것은 순전히 기분과 감각에 따라 결정되었다.

강 건너편에서는 막 철교 위를 지나온 기차가 둑 위로 달리고 있었고 둑 옆 경사면에 늘어선 싸리나무 가녀린 가지들이 일제히 기차가 지나가는 반대 방향으로 고개를 숙였다가 기차가 지나가고 나서야 고개를 쳐드는 그런 모습도 보면서 시간을 가늠하기도 했다.

학교에서 배운 해시계 흉내를 내느라고 가는 꼬챙이를 돌 틈에 꽂아 놓고 그림자로 시간이 흐르는 걸 가늠하기도 했다.

하도 시간이 가지 않아서 해가 어디쯤 떠 있는지 보려고 고개를 들어 하늘을 보았더니 솔개 한 마리가 키 큰 소나무보다 더 높은 하늘에서 날갯짓을 멈추고 떠 있는 모습이 보였다.

하행선 철교 위로 화물열차가 지나가며 내는 덜컹대는 소리가 오랫동안 들려 왔고 그 소리가 멀어졌다가 아예 들리지 않을 때도 솔개는 하늘에 떠 있었다.

상행선으로 기차가 한 대만 더 지나가고 나면 어항을 꺼내 보리라 마음을 먹고 기다리던 중 용두산쪽 철길이 굽이진 모퉁이에서 막 모습을 드러내고 달려 나오는 기차가 보였다. 기적소리는 강물 위로 내려와 물결따라 퍼졌고 화물 열차가 뿜어내는 연기는 하늘로 올라가며 구름처럼 사라졌다.

고기가 들어갈 시간이 충분하다고 판단되었으므로 마음먹었던 대로 첫 번째 어항을 놓아둔 곳으로 물소리도 나지 않고 파도도 일지 않게 살금살금 다가갔다.

눈앞에 어항 근처를 맴도는 몇 마리의 피라미가 보였다.

바닥에 엎드려 있던 연한 갈색과 진한 고동색 줄무늬가 또렷한 노지람쟁이 (표준말로'종개' 종류였던 것 같음)가 인기척에 놀라서 얼른 돌 틈으로 숨는 것이 보였다.

어항 속에 들어가 있던 피라미들도 사람의 인기척을 알아 차렸고 놀라서 도망을 가려고 요동을 쳤으나 그냥 둥그런 어항 속에서 벽 주위를 따라 맴돌기만 할 뿐이었다.

그 바람에 어항 밑 바다에 갈아 앉아 있었던 들깻묵 조각들이 떠올라 피라미들과 같이 어항 속을 떠다니는 게 보였다.

그새 물에 불어서 색깔도 바랬고 아마 고소한 냄새도 물에 다 씻겨 갔을 게 뻔했다.

어항을 집어 올리자 어항 속의 물이 쏟아져 나왔고 피라미들의 요동은 더 거셌다.

새끼손가락보다 작은 놈도 있었고 중지 정도 되는 놈도 있었다.

짐작으로 서른 마리 정도는 되는 것 같았다.

아까 만들어 두었던 살림 못에 피라미들을 쏟아부었다.

숨을 곳이 없는 살림 못에 떨구어진 피라미들은 도망 갈 곳을 찾으려는 듯 사방을 헤집었고 쌓아 둔 벽 위로 뛰어오르는 놈도 있었다.

잡힌 피라미들이 난리를 치거나 말거나 빈 어항 속에다 들깻묵을 듬뿍 넣은 후 아가리를 봉한 다음 어항을 꺼내왔던 자리에 다시 어항을 갖다 놓았다.

이어서 두 번째, 세 번째 어항도 꺼내 왔다.

첫째 것만큼 피라미가 들어 있지 않았으나 두 개의 어항을 합하면 피라미 마릿수는 더 많을 것 같았다.

살림 못 안은 금방 피라미들로 바글거렸다.

못 안에다 잡힌 피라미들이 숨어 있을 자리를 만들어 주었다. 돌멩이 4개를 받침대로 세우고 그 위에 넓적한 돌멩이를 얹어 놓자 피라미들이 금방 그 속으로 몰려 들어가 몸을 숨기는 것이었다.

피라미 마리 수가 늘어나면서 고민이 생겼다.

피라미만으로는 반찬거리가 되지 않았고 찌게 거리로는 채소 같은 것이 있어야 했는데, 남새밭에서 키우는 상추나 쑥갓으로는 매운탕을 끓일 수 없었으므로 고모나 어머니는 아예 피라미 같은 건 귀찮으니 집으로 가져오지 말라고 누차 이야기했던 것이었다.

매운탕 거리로 사용할 채소가 없어서 그런 게 아니라 사실은 마리 수가 많기만 했지 새끼손가락 정도밖에 되지 않는 작은 물고기의 배를 따고 씻어내는 일은 여간 번거로운 일이 아니어서 여자들은 그런 걸 애당초 싫어하는 것 같았다.

내가 옆에서 거들어 줄 수도 있었지만, 수돗간 바닥 여기저기 비린내 나는 걸 흩어 놓기만 할 뿐 도움이 되지 않는다고 내 도움도 싫다고 했다.

전에 밀대를 하면서 잡았던 피라미들처럼 배를 따서 멸치처럼 말려서 가져갈 방법도 생각해 봤지만 그것도 만만한 방법이 아니었을 뿐 아니라 두 번 다시 생각도 하기 싫었다.

두서너 시간으로는 제대로 마르지도 않았을 뿐 아니라 하룻밤을 지내고 보자고 그냥 두었다가는 지난번처럼 밤새 내린 빗물에 흠뻑 젖어 버릴지도 몰랐다.

오죽했으면, 비에 씻겨 벗겨진 피라미의 허연 비늘이 돌멩이 여기 저기 붙어 있었고 비린내를 맡고 날아 온 시커멓거나, 초록색과 파란색이 유난히 반짝이는 왕파리들이 마르다 만 축축한 피라미 위를 윙윙대며 날아다니는 그 모양이 너무 지저분하고 보기가 흉해서 두 번 다시 피라미로 멸치로 만드는 작업은 하지 말자고 다짐까지 했을 정도였다.

큰 놈만 골라낼 마음을 먹었다.

숨어있으라고 만들어 줬던 돌멩이를 들어냈다.

숨어있던 모습을 들킨 걸 알게 되어 놀란 피라미들이 한꺼번에 푸다닥거리며 좁은 살림 못 안을 휘저으며 돌아다니는 바람에 큰 게 어떤 놈인지 분간이 어려웠다.

다급한 나머지 돌 틈에 겨우 머리만 처박고 있는 놈을 손으로 잡아 올렸다.

손바닥 위에서 가쁜 숨을 쉬느라 조그만 입을 뻐끔거리는 모양을 내려다보니 갑자기 피라미가 가엽다는 생각이 들었다.

파르스름한 옆구리 밑에 나 있는 지느러미도 가늘게 떨리고 있어서 더욱더 불쌍해 보였다.

살림 못에 피라미를 내려놓으며 잠시 고민에 빠졌다.

어차피 집에 가져가지 못할 바에야 큰맘 먹고 피라미들을 살려 주는 것이 좋을 것 같다는 생각과 용돈으로 산 어항과 들깻묵이 제값도 못하게 되면 큰 손해를 보는 게 아닌가 하는 생각으로 고민을 하고 있었다.

살림 못의 한 부분을 슬그머니 무너뜨리고 있었다.

열을 셀 동안 빠져나가는 놈만 살려주자고 했다.

속으로 셈을 세는 동안 서너 마리가 재빨리 살림 못에서 빠져 나갔다.

풀어 줘도 나갈 데를 몰라서 멍청히 남아 있는 놈을 위해서 다시 열까지 세기로 했다.

그러면서 손톱만 한 조약돌을 집어서 피라미들이 몰려 있는 곳에 퐁당 집어 던졌다.

놀란 피라미들이 다시 우왕좌왕 설쳐대다가 어떻게 담이 허물어져 있는 걸 알아차리고는 얼씨구나 하고 빠져나가기 시작했다.

열까지 다시 세는 대신 조약돌을 던져 피라미들을 쫓아내고 있었고 금방 살림 못 안에는 한 마리의 피라미도 남지 않게 되었다.

마음 내킨 김에 아직 꺼내지 않은 어항 속에 들어와 있을 피라미들도 놓아 주기로 했다.

어항 근처에 몰려 있는 피라미들이 놀라서 도망을 가도 상관이 없었으므로 발등으로 물살을 일으키며 어항을 놓아둔 자리로 갔고, 단숨에 들어 올린 어항 주둥이의 마개를 벗겨 내고 안에 들어 있는 것을 다 쏟아냈다.

들깻묵 찌꺼기와 잡혀있던 피라미들이 강물 위로 주르르 쏟아졌다.

잡혔다가 놓여 난 놈들은 뒤도 돌아보지 않고 도망을 가버렸고 어항이 뭔지를 모르는 놈들은 물속에 떨어진 들깻묵의 찌꺼기를 주워 먹겠다고 난리를 치고 있었다.

나머지 두 개의 어항도 깨끗이 부셔내고 난 뒤 어항의 물기가 마르는 동안 멱이라도 감기로 했다.

가슴 근처까지 물에 잠길 정도의 깊이에서 자맥질도 하고 물구나무서기도 했다.

상하행선 철교 위로 기차가 지나가고 지나왔지만, 이제는 시간을 잴 필요가 없었다.

바람 한 줄기가 강물 따라 늘어선 소나무들을 가볍게 흔들고 지나갔다.

철길 너머 보이는 산성산 위로 하얀 구름 한 송이가 고개를 넘어가고 있는 것도 보였다.

24. 횃불 켜서 고기 잡기

고향 이야기를 늘어놓다 보니 민물고기 잡는 이야기만 계속하고 있다.

우리나라 어디를 가던 강이 있고, 강에서 놀아보지 않은 사람은 없을 테지만, 나처럼 고기잡이에 정신이 팔려 어린 시절을 보낸 사람은 드물 것이다.

지금은 환경오염이니 뭐니 해서 강에 고기가 그리 많지 않다고 하니 요즘 사람들이 고기를 잡으며 놀았던 나의 어린 시절 이야기를 듣는다면 아주 오래된 옛날이야기를 하는 줄 알고 오해할 수도 있겠지만, 실상은 60년 전쯤 있었던 일들을 이야기하는 것이다.

고기를 잡는 방법은 여러 가지였고, 나는 그 여러 가지를 두루 경험했다.

내가 그렇게 고기잡이라든지 자연에 묻혀 사는 걸 좋아했던 것은 어쩌면 나보다 고기잡이를 더 좋아했던 아버지의 내림이었는지도 모르겠다.

아버지는 스무 남은 명의 종업원을 거느린 규모가 작은 공장을 운영하느라 제대로 여가를 즐길 수 있는 시간이 없어서 많이 참고 사셨던 것 같았다.

그래도 수시로 발동하는 본능을 주체하지 못해 억지로 시간을 내어서 고기잡이를 나설 때가 있었다. 그런 날은 고기잡이 나갈 준비를 해 두라고 미리 내게 귀띔을 했다.

아버지가 즐기는 고기잡이는 일반 사람들이 잘 하지 않는, 원시적이고 잔인하기까지 한 방법이었다. 그렇다 보니 고기를 잡을 때 사용하는 연장은 시중에서 흔히 구할 수 있는 것들이 아니었고 직접 만든 연장만을 사용했다. 연장의 내용을 알고 나면 대수롭지도 않은 것들이어서 코웃음을 치겠지만 아버지는 준비물 하나하나에 신경을 썼다.

한밤중에 강으로 나가서 고기잡이를 해야 했으므로 무엇보다도 어둠을 밝혀 줄 횃불이 있어야 했다. 한 발이 조금 남는 장대 끝에 매달 횃불의 봉은 헝겊을 두껍게 똘똘 말아서 굵은 철사로 칭칭 동여맸다.
고기잡이 도구는 자전거 수리 점에서 직접 구해온 리어카 뒤 바퀴살로 만든 삼지창이었다. 창살의 길이는 한 뼘 정도였는데 3개의 창살 중 가운데 창살은 화살촉 모양을 하고 있었다. 바위나 큰 돌 틈새에 숨어 있는 고기를 찍어 잡아낼 때 고기가 작살에서 빠져 도망가 버리는 걸 방지하기 위해서 그렇게 만든 것이었다.
가끔 내가 사용하기 위해서 철사로 만든 뜰채를 가지고 나갈 때도 있었지만 아버지는 뜰채로 고기를 뜨는 것보다 오히려 드럼통을 잘라 만든 톱니 가위를 이용하는 것이 더 낫고 재미있다고 하셨다.
횃불을 밝혀야 했으므로 당연히 원료인 경유가 있어야 했고, 잡은 고기를 담을 들통도 있어야 했다.

몇 개의 장비를 들고 다녀야 했기에 나하고 아버지 둘이서 고기잡이를 하러 나가게 되면 나는 꼼짝없이 한 손에는 경유 통을, 한 손에는 들통을 들고 고기를 잡는 아버지의 뒤를 쫓아다녀야 했으므로 힘만 들고 아무런 재미가 없었다.

동생은 고기 잡으러 가는 걸 싫어했기에 동생을 데리고 가려면 씹던 껌이라도 내 주며 환심을 사야했다.

동생이 따라 나서지 않겠다고 하니, 부득불 나는 공장에서 기술을 배우고 있는 막 국민학교를 졸업한 나보다 두어 살 많은 수습공을 꼬드길 수밖에 없었다. 시간을 빼앗기고 수고하는 대신 얼마나 되었든 잡은 고기의 반을 주는 조건이었다.

여름 날씨는 밤이라고 해서 시원하지 않았으므로 어떤 사람들은 저녁식사 후에는 강가로 나가서 더위를 식히곤 했다.

남자들이야 밤낮 구분 없이 어느 때건 강물에 뛰어들 수 있었지만, 여자들은 주위 사람들의 눈을 의식해야 했으므로 한밤중이 되어 어둠이 깊어져야 강물로 들어갔다. 그나마 다른 사람이 엿볼지 모른다는 불안감으로 숨을 죽인 채 살금살금 강물 속에서 온종일 흘렸던 땀을 닦아내는 것이었다. 그렇게 물놀이를 끝낸 사람들이 집으로 다 돌아가고 강가에 인적이 없을 때가 되어야 비로소 우리들은 고기잡이를 시작 할 수 있었다.

달빛도 비치지 않는 캄캄한 밤에 인적이 끊어진 공설운동장을 가로질러 솔밭으로 들어설 때면, 아버지 옆에 바싹 붙어서 가면서도 무엇인가 나타날지도 모른다는 불안감과 무서움에 가슴을 졸이며 나도 모르게 주위를 두리번거리기 마련이었다. 집에서는 전혀 느끼지 못했던 바람이 불어와서 소나무 가지들이 흔들리는 소리라도 듣게 되면 한층 더 겁이 나서 걸음이 빨라지기도 했다.

둑 위에 올라서서 아버지는 담배를 한 대 태우시며 오기로 약속한 택이를 기다렸다.

오늘 밤 고기잡이에서 경유 통을 들고 따라다닐 택이는 이번이 두 번째 고기잡이에 따라나서게 된 신출내기였다.

집이 읍사무소 뒤 옛날 광산 쪽이어서 배다리를 건너 곧장 둑길을 따라 오면 우리와 만날 수가 있었다.

달이 뜨지 않은 캄캄한 어둠 속에서 아버지가 빨아드리는 담뱃불이 빨갛게 보였다가 사라지곤 하는 모습을 보고 있는 중에 낌새도 못 채고 있었는데 갑자기 철교 위로 덜컹덜컹 소란스러운 소리를 내며 밤기차 지나가는 소리가 들렸다.

소나무 숲에 가려서 모습이 보이지 않더니 금방 숲을 지나온 시커먼 형체의 기차가 둑 위를 달리고 있는 모습이 보였다. 길고 그냥 검기만 한 화물열차였다.

기차가 지나가고 나자 미리 와서 기다리고 있었던 듯 솔밭 앞 모래사장 쪽 어둠 속에서 모습을 나타낸 택이가 우리 쪽으로 다가왔다.

밤이 꽤 깊었으므로 시간을 끌 것도 없이 바로 고기잡이기 시작되었다.

아버지는 횃불 봉을 경유 통에 담가 경유가 봉에 흠뻑 스며들 때까지 기다린 후 성냥불로 불을 붙였다.

캄캄하던 주위가 환해졌다.

바람이 불지 않아서 강물은 잔잔했다.

피라미들이 불빛을 보고 모여드는 것이 보였다.

강 안쪽으로 아버지가 들어섰고, 그다음에 내가 붙어 섰다.

경유 통을 든 택이는 강의 가장자리를 따라 우리들의 뒤를 따라오고 있었다.

다섯 발작국도 떼기 전에 뻥구리 한 마리가 걸려들었다.

표준말로 동사리라고 한다는 걸 그때는 모르고 있었던, 뻥구리 혹은 뿍지라고 불렀던 이 물고기는 머리 부분이 크고 뭉툭했으며 입술도 두툼했다. 육식성이어서 작은 피라미 따위를 잡아먹는 모습을 볼 수 있었으며, 강바닥에 엎드려 있으면 주위의 자갈 색깔과 흡사하여 엎드려 있는 걸 찾아내는 게 쉽지 않았다. 그러나 아버지의 오랜 경험이 축적된 눈썰미를 벗어나기가 어려웠고 도망을 가는 것도 쉽지 않았다. 민물 생선회를 좋아하는 아버지는 그중에서 뻥구리와 꺽뚜어의 회가 제일 맛나다고 했으니 그런 아버지의 눈에 뜨인 뻥구리나 꺽뚜어는 거의 잡은 거나 마찬가지였다.

지금도 그랬다.

왼손잡이인 아버지가 꼬나 쥔 삼지창이 여지없이 뻥구리의 넓적한 대가리에 박혔다.

횃불 아래 모습을 드러낸 손바닥 정도로 큰 뻥구리는 창에 찔렸지만 죽지는 않은 걸 알려주려는 듯 두툼한 입술을 뻐끔대고 있었다.

다시 강바닥을 훑으며 고기가 엎드려 있는 걸 찾기 시작했다.

밀대 낚시나 어항으로 잡을 때 같았으면 크다고 호들갑을 떨고도 남을 정도로 큰 피라미들이 밝은 불을 쫓아다니느라 눈앞에서 알짱거렸지만, 지금은 그런 것에 신경 쓸 여유가 없었다.

허리를 굽혀 반쯤 엎드려서 걷다 보니 허리가 아팠고 그럴 때마다 멈춰서서 등배운동을 했다. 허리를 뒤로 잔뜩 젖히고 하늘을 올려봤을 때 아까 미처 보지 못했던 별들이 총총 박힌 하늘이 길고 넓게 펼쳐져 있었고 건너편에 있는 산의 끝자락이 어둡게 걸쳐져 있는 것도 보였다.

"어? 여기 죽은 미거지가 한 마리 있네."

강 가장자리로 따라 걷던 택이가 말했다.

그 말을 듣는 순간 나는 그것은 죽은 놈이 아니란 걸 얼른 알아차렸다.

택이가 집적거려서 도망을 가지 못하게 해야 했다.

"건드리지 마라! 배가 불러서 엎드려 있는 거다."

그렇게 말하며 택이가 가리키는 곳을 보니 팔뚝만 한 메기 한 마리가 허연 배를 드러내 놓고 누워있었다.

내가 말한 대로 메기는 작은 물고기들을 무리하게 잔뜩 잡아먹은 후 너무 배가 불러서 바로 엎드려 있지를 못하고 배가 꺼질 때까지 누워있는 것이 확실했다.

아버지의 삼지창이 틈을 주지 않고 바로 누워있는 메기의 몸통을 꿰뚫었다.

횃불 고기잡이를 처음 따라 나온 사람은 이렇게 누워있는 메기를 보게 되면, 정말 죽은 메기인 줄 알고 그냥 지나치거나 아니면 슬쩍 건드려 봤다가는 질겁하게 마련이었다.

허연 배때기를 내 보여서 아예 죽은 놈으로 오인을 하게 마련인데, 사람이 메기를 건드리는 순간, 메기가 얼마나 빠른 고기인지 시범이라도 보이는 것처럼 강 안쪽으로 화살같이 도망을 가버리는 걸 보고 나서야 메기에게 속았다는 걸 깨닫게 되는 것이었다.

아버지와 나는 자주 횃불 고기잡이를 다니면서 그런 걸 경험했기 때문에 메기의 속임수에 더는 속지 않았다.

고기잡이는 차츰 재미가 붙기 시작했다.

불빛에 놀라서 엉금엉금 뒷걸음쳐 도망가는 징거미는 내가 절대 놓치지 않고 잡아들였다.

솔밭 끄트머리쯤에서 시작된 고기잡이는 어느새 기차 길 쪽으로 가까이 갈 수 있는 여울목 근처에 와 있었다.

여울목에서만 팔뚝만 한 고기를 한 말들이 들통 가득 잡을 때도 있었다.

그때만 해도 연어나 황어 따위가 알을 낳으러 고향의 강으로 올라왔고, 때를 맞춘다면 정강이 정도 깊이의 여울목에는 알 낳을 자리를 찾는 고기들이 바글바글한 걸 볼 수 있었다.

우리 동네보다 더 아래쪽의 하류 지역에서는 알을 낳으러 모천母川을 찾아온 고기떼를 발견한 동네 사람 수십 명이 온종일 고기를 잡아도 고기떼는 여전히 강바닥에 득시글거리더라는 이야기가 전설처럼 들려오기도 했던 때였으므로 우리가 들통 하나 가득 채우는 건 자랑거리도 아니었다.

오늘은 그런 횡재를 하지 못했으나 아버지는 팔뚝보다 더 큰 천잉어를 한 마리 잡은 것으로 만족하셔야 했다.

여울을 건너가서 강의 반대편으로 가면 지금까지와는 달리 강가로 나와 있는 고기들을 볼 수는 없었지만 대신 강폭이 굽이도는 곳에 이르면 은어를 잡을 수 있었다.

모래와 작은 자갈이 섞여 있는 그곳은 물의 온도가 따뜻한 곳이라서 그랬는지 성질이 까다로운 은어들이 떼를 지어 놀러 오는 곳이기도 했다.

아버지는 그곳에 도착하기 전에 경유 통에 횃불을 푹 담가 아예 불을 꺼버렸다.

횃불이 꺼지자 사방은 캄캄한 어둠뿐이었다.

강 건너편 우리가 출발했던 지점 근처에 있는 소나무 숲이 어둠보다 더 어두운 모습으로 웅크리고 있었고, 그 너머 둑은 또 다른 어두운 덩어리로 길게 누워 있는 게 보였다.

어둠이 그냥 무섭기만 하여 고개를 돌리면 또 다른 어둠이 눈앞에 누워 있는 게 보였다.

형체가 흐릿하여 뚜렷이 보이지 않는 강물 위에 가로 걸린 철교와 한 덩어리의 어둠으로 서 있는 교각들이 금방 살아 움직일 것 같은 기세로 눈앞에 펼쳐졌다.

그걸 보고 나자 다시 섬뜩한 기분에 빠져들었다.

아버지는 나의 이런 무섬증에 대해 전혀 알지 못한 듯 어둠 속에서도 익숙하게 은어를 잡을 준비를 서둘렀다.

준비라고 했지만, 실상은 준비라고 할 것도 없었다.

손바닥 정도 크기의 돌멩이를 양껏 주워 모으는 것으로 준비는 끝이 났다.

이어서 살금살금 소리를 죽여 강이 둥그렇게 굽이 진 곳의 안쪽으로 들어서서 마구잡이로 돌멩이를 집어 던지는 것이었다.

아닌 밤중에 홍두깨가, 아니, 돌멩이기 날아들게 되자 그 안쪽에서 휴식을 취하고 있던 은어들이 놀라서 도망을 칠 건 뻔했다.

성질이 워낙 급한 놈들이라 닥치는 대로 도망을 가게 마련이었을 텐데 강 안쪽에는 사람들이 지켜 서서 돌멩이를 던지고 있었으니 그쪽으로 도망칠 생각은 하지 못하고 급한 마음에 물인지 뭍인지 구분을 못 하다보니 도망이라고 뛰어 올라간 간 곳이 뭍이어서 몇 번 파닥거리다가 꼼짝도 할 수 없게 된 놈들이 숱했다.

한참 동안 돌멩이를 던지고 난 후 아버지는 횃불을 다시 밝혔고, 우리는 도망을 가다 저 스스로 숨을 끊은 은어를 주워 담기만 하면 되었다.

그 전에 미처 도망을 못 치고 급한 김에 대가리만 돌멩이 사이에 처박은 채 죽은 듯이 시치미를 떼고 있는 놈들을 먼저 잡아냈다.

졸지에 위험이 닥쳤으므로 숨는다는 것이 기껏 제 눈에 보이지만 않으면 되는 줄 알았던 놈들뿐 아니라 무작정 집어 던진 돌에 재수 없게 얻어맞아 몸통이 찢겨 나간 놈들도 더러 있었다.

은어 잡이를 하고 나면 오늘의 고기잡이가 끝이 나는 것이었다.

불빛 따라 물위에 동동 떠다니는 강꽁치를 톱날 가위로 집어 잡는 걸 못해 봐서 서운했지만, 다음 기회로 미루기로 했다

집 앞의 구멍가게에서 아버지는 횟감으로 적당한 뻥구리와 꺽지 한 마리씩 그리고 팔뚝만 한 천잉어만 남겨 놓고 나머지는 택이에게 줬다.

집으로 가져 가봐야 좋아할 사람이 없으니 어차피 누군가에게 줘야 할 것이었다.

우리가 고기잡이를 나간 걸 알고 있는 구멍가게 아저씨는 우리가 돌아올 때까지 가게 문을 닫지 않고 기다리고 있었다.

아버지는 소주 한 잔에 생선회 몇 점 드시는 거로 하루의 피곤을 달래

는 것 같았다.

가게 아저씨 역시 아버지가 장만한 회 한 점을 얻어먹자고 늦은 밤까지 우리를 기다리고 있었던 것이었다.

강물 속에 첨벙대며 다니느라 신고 나갔던 고무신의 물기가 채 마르지도 않았지만, 어느새 자정을 알리는 사이렌이 어두운 밤하늘에 울려 퍼지고 있었다.

25. 다망구

학교가 끝나서 집으로 돌아오면 할 게 별로 없었다.

좀이 쑤셔 미리 손 봐 둔 썰매라도 탈 수 있을 정도로 얼음이 얼었는지 확인해 보려고 솔밭 너머 강으로 가봤으나 가장자리에 살얼음만 자리를 잡고 있었을 뿐 썰매를 탈 수 있을 정도로 강 전체가 꽁꽁 얼어붙으려면 얼마를 더 기다려야 할지 알 수 없었다.

쓸데없이 찬바람만 실컷 맞고 집으로 돌아오다 보니 군청 담벼락 앞에 아이들이 모여 있었다.

함께 어울려 놀기엔 께름칙한 옆집에 사는 중학교 체육선생 아들인 구야가 있는 것을 보고 그냥 집으로 가려는데 다른 친구가 나를 불렀다.

"우리 '다망구'하고 놀자."

솔깃했지만 구야가 신경이 쓰였다.

나이가 두 살이나 많으면서 치사한 짓은 골라서 하는 친구여서 중간에 판이 깨질 확률이 높을 거라는 생각이 들었다.

"집에 들어가서 숨기 없기, 그리고 배다리 넘어가기 없기를 한다면 할게."

내가 구야를 빤히 보면서 말했다.

구야는 범(술래)이 되면 도망 다니는 애들을 잡을 생각은 하지 않고 슬그머니 제집으로 들어가서 딴짓을 하고 있기 일쑤였다.

다른 애들이 범인 구야가 없어진 걸 알게 되어 찾다찾다 도저히 못 찾아 구야네 집에 가 보면 구야는 방안에 들어앉아서 계면쩍은 웃음을 웃기만 할 뿐 제 잘못은 인정하지 않았다.

대신 도망 다니는 편이 되면 시작과 동시에 배다리를 건너 읍내 시장 통까지 도망을 가서 딴 동네 애들 틈에 끼어서 시시덕거리며 놀기도 했으므로 구야와 같이 다망구를 했다가는 두 판도 못 해보고 판이 깨질 게 분명했다. 그렇다고 처음부터 구야를 끼워주지 않을 수는 없었다.

모여 있던 애들이 열 명이었으므로 '하늘 땅' 으로 편을 갈라야 했다.

손바닥이 하늘을 보게 팔을 뻗으면서 나는 속으로 제발 구야와 한편이 안 되었으면 좋겠다고 생각했다.

운이 좋았든지 내 바람대로 되었고, 첫판은 우리 편이 술래였는데 다행히 구야는 자기 집에 숨는 짓은 하지 않았다.

판이 바뀌어 우리 편이 도망을 가게 되었다.

술래들이 전봇대에 붙어 서서 열을 세는 동안 우리는 최대한 멀리 도망을 가야 했다.

함께 도망가던 호야를 꾀었다.

"우리 영화 보러 가자."

"어느 극장에? 아직 영화 시작하려면 한참 더 있어야 하는데? 그리고 너 극장표 살 돈 있나?"

호야가 한꺼번에 이것저것 물었다.

"목재소 뒤편으로 가면 극장에 몰래 들어갈 수 있다. 지금 들어가서 숨어 있으면 아무도 모를 거다."

내가 목재소 쪽을 향해 달려가자 호야도 엉겁결에 따라왔다.

그즈음 아버지는 새로운 사업을 한다고 극장 옆 공터를 임대하여 목재

사업을 벌여놓았다.

제재 시설은 없었고 경북 어느 산간지방에서 소나무 원목을 사 와서 재어 놓았다가 되파는 그런 사업인 것 같았다.

동생과 내가 가끔 목재소에 가서 놀곤 했는데, 우연히 옆에 있는 극장에서 간판을 그리는 아저씨와 영사기를 돌리는 아저씨가 원목들이 쌓여 있는 곳에서 담배를 피우고는 극장 뒷문으로 사라지던 모습을 본 적이 있었다.

내가 뒤를 따라 가봤더니 극장의 화장실을 청소할 때 사용하는 쪽문이 빼꼼 열려 있는 것이 보였다.

살그머니 쪽문을 밀어보니 안에서 잠그지 않았던지 찢어진 양철 소리를 내면서 문이 그냥 열리는 것이었다.

지린내가 심하게 났지만, 허리를 낮추고 살금살금 안으로 들어가 보니 화장실 복도와 연결되었고 바로 관람석 안으로 들어가는 문이 희미하게 보였다.

내친김에 관람석으로 들어가는 문도 열어 보았다.

관객이 없는 극장 안은 캄캄하여 방향도 짐작할 수 없었지만 조금 후에 어둠에 익숙해지자 줄지어 놓여있는 의자들이 보였다.

언제 영화를 시작할지 몰랐고 주위가 너무 어두워서 무섭기도 해서 그 날은 바로 돌아 나오고 말았지만, 오늘은 호야와 함께 숨어 있게 된다면 시간이 좀 걸리더라도 영화를 보고 나올 수도 있을 것 같았다. 더군다나 우리가 극장 안으로 숨어들어 간 걸 알 리 없는 구야네 편들이 우리를 찾느라고 난리를 칠 것을 생각하니 그게 영화를 보는 것보다 더 재미있고 신이 났다.

생각대로 문은 쉽게 열렸다.

호야가 겁을 먹은 듯 주저하는 것 같았으나 이내 내 뒤를 따라 극장 안으로 들어왔다.

우리는 소리가 나지 않게 고양이 새끼처럼 납작 엎드린 자세로 관람석 안으로 들어가서 의자를 차지하고 앉았다.

서로의 숨소리를 들을 수 있을 정도로 너무 조용하여 겁이 나기도 했지만 들키지 않으려고 침도 제대로 삼키지 않고 참고 기다렸다.

시간은 더디게 갔고 슬슬 진이 빠지자 연신 하품도 나고 참느라고 애를 먹고 있었다.

참다못해 그만 나가자고 말을 해야겠다고 생각을 했을 때였다.

갑자기 귀를 찢을 듯 심한 기계음이 들리더니 잡음이 더 많은 노래가 스피커에서 흘러 나왔다.

거의 매일 저녁 식사가 끝날 때쯤 시간을 맞춰 극장에서 틀어대는 노래였다.

하도 자주 들어서 가사도 외울 수 있는 '훌쩍훌쩍 눈물짓는 왈순아지매' 어쩌고 하는 그 노래를 또 튼 것이었다.

극장에서는 영화의 내용과는 아무 상관이 없었지만 어쨌든 노래를 들려줌으로 오늘 저녁에도 '극장에 와서 영화를 봐 주십시오' 하고 선전을 하는 것이었는데, 이제 막 노래를 틀었다면 적어도 한 시간은 더 있어야 손님들이 들 것이고 그러고도 30분은 더 있어야 영화가 시작될 것이었다.

그렇게 시간 계산을 해보고 나니 도저히 더 기다릴 자신이 없었다.

나만 그런 게 아니고 아까부터 호야도 육신이 뒤틀리는지 가만히 앉아 있지를 못하고 있었다.

"나가자."

내가 그래 주기를 기다렸던 것처럼 벌떡 일어선 호야가 재빨리 복도로 나갔고, 나도 뒤질세라 호야 뒤를 따랐다.

심한 지린내가 다시 온몸을 덮쳤고 서둘러 쪽문을 열고 극장 밖으로 나서던 순간 우리는 깜짝 놀라서 우뚝 멈춰서고 말았다.

놀란 것은 우리만이 아닌 것 같았다.

영사 기사와 간판 기사가 원목 위에 걸터앉아서 담배를 피우고 있다가 쪽문을 열고 나오는 우리를 보고 만 것이었다.

극장 안으로 다시 들어갈 수도 없었고, 그렇다고 눈앞에 버티고 있는 어른을 피할 수도 없는 상황이었다.

"이놈들 봐라. 도망갈 생각 말고 이리 와라."

영사 기사가 싱글거리며 말했다.

꼼짝없이 그들 앞에 다가선 우리를 보고 간판 기사가 말했다.

"이놈은 목재소 김 사장 아들이네. 보아하니 공짜 구경 한두 번 한 게 아니겠네. 좋게 말 할 때 바로 불어라. 너 공짜 영화 몇 번 봤니?"

"오늘 처음입니다. 영화는 한 번도 못 봤습니다."

"오늘 처음이라고? 인마! 거짓말 같은 거짓말을 해야 믿어주지. 그 말을 어찌 믿겠나?"

"진짭니다."

"진짜라고?

“한 백 편은 봤겠다. 지 혼자만 본 게 아니고 친구들도 데리고 와서.”

간판 기사가 옆에서 거드는 소리를 듣고 나니 기가 막혔다.

“아닙니다. 오늘 처음 들어갔습니다. 얘한테 물어보십시오.”

“똑같은 놈일 건데 바른말 하겠나? 네 아버지한테 말해서 극장 값 받을 테니 걱정하지 마라.”

“우리 아버지한테는 말하면 안 됩니다.”

“왜 안 되는데?”

“그냥 안 됩니다.”

“그냥이 어딨냐? 왜 안 되는데?”

“……”

“용서해 줄까?”

그 말이 너무 좋아서 예라고 대답을 할 뻔했으나 대답하는 걸 잠시 망설였다.

“좋다, 용서해주는 대신 할 일이 있으니 날 따라 와라.”

우리는 영사 기사를 따라서 쪽문을 통해 다시 극장 안으로 들어갔다.

영사 기사는 복도에 전깃불을 밝히더니 우리를 화장실로 데리고 갔다.

“너희들이 봐서 알겠지만, 손님들이 아무 데나 오줌을 누고 가는 바람에 좀 지저분하다. 저쪽에 가서 수도 물 받아 와서 바닥 청소를 좀 해라. 깨끗이 잘하면 용서도 해주고 영화도 한 편 보여 줄게.”

호야와 나는 지린내를 맡지 않으려 코를 감싸 쥐며 ‘시팔’소리를 백 번도 더 내뱉었다.

앞으로 절대 다망구는 하지 않겠다고 속으로 다짐했지만, 지킬 거라는 자신은 없었다.

 호야는 재수 없이 내 꼬임에 빠졌다고 불평하면서 두어 양동이의 물만 받아주고는 바닥 청소를 내게 미뤘다.

이래저래 구야보다 더 못된 놈이 돼버린 하루였다.

26. 미지게짜지게

목재로 지어 4개 동으로 나뉘어 있는 가교사는 본 교사를 올려봐야 하는 언덕바지에 계단식으로 축대를 쌓아 세워져 있었다.

우리 교실은 위쪽과 아래쪽에 가교사가 엎드려 있어 언덕바지의 중간쯤이었다. 교실로 들어가려면 축대 옆의 돌계단을 이용해야 했는데, 계단은 엉성해서 곧잘 빗물에 흙이 씻겨 가기도 했다.

어느 날 계단 사이에서 해골이 발견되기도 하여 호기심이 많은 우리는 또 다른 무엇이 나올지도 모른다며 돌계단을 온통 들어내기도 했던 적도 있었다.

육군병원으로 사용하다가 군인들이 떠난 본관 건물이 있었지만, 학생 수보다 교실이 부족하여 3학년 때까지는 2부제 수업을 받았고, 4학년 때는 잠깐이긴 했지만, 강당 세 곳에 칠판을 걸어 놓고 남자 3개 학급이 수업을 받기도 했다. 신축 교사를 짓고 있었지만, 공사가 늦어져서 5학년 때도 헐어빠진 목조 가교사에서 공부해야 했다.

날씨는 하루가 다르게 추워졌고 쉬는 시간이 되어도 전처럼 운동장으로 나가서 뛰어노는 아이들을 보기가 어려웠다.

마땅히 놀 거리를 찾지 못한 아이 중에서 간이 큰 친구들 몇 명은 뼈대만 세워져 있는 신축 건물로 들어가서 놀기도 했지만, 대부분의 학생은 귀신이 나온다는 소문 때문에 감히 신축건물에 들어갈 엄두를 내지 못했다.

오래 전부터 공설 운동장 가는 쪽의 후문 근처에 교사를 새로 짓는 공사를 하고 있었지만, 우리가 봐도 작업은 제대로 진행이 되는 것 같지가 않아서 일을 하는 날 보다 공사장인 채로 그냥 방치해두는 날이 더 많아서 언제 건물이 다 지어질지 알 수가 없었으므로 자연 귀신 이야기가 나오게 된 것이었다.

교사의 앞쪽에 만들어져 있는 화단에는 여름에도 제대로 자라지 않던 식물들은 날씨가 추워지자 아예 자취를 감춘 지 오래되어 찬바람이 불 때마다 흙먼지만 일으키고 있었다.

노는 시간이지만, 마땅히 놀 장소를 찾지 못한 우리는 흙바람 따위는 상관하지 않고 빈 화단 앞 가교사의 판자벽에 쭉 늘어서서 '미지게짜지게'를 하고 놀았다.

스무 명 정도의 인원이 교실 밖 판자벽에 일렬로 붙어 서서 '미지게짜지게'라는 구호를 외치며 반은 왼쪽으로, 반은 오른쪽으로 밀어붙이기를 하는 것이다.

몸으로 밀어붙이는 것이어서 힘에 부쳐서 무리에서 밀려 나오게 되면 놀이에서 제외되는 것이었다. 짧은 시간, 힘을 쓰는 동안 땀이 날 정도로 추위를 잊을 수 있는 놀이였으므로 스무 명 정도의 인원에 끼어들고자 딴에는 신경을 써야 했다.

4학년 말부터 우리 반에는 주먹 하나로 반 전체를 휘어잡기 시작한 친구가 있었는데, 그 친구의 눈에 벗어나게 되면 어떤 놀이에도 끼일 수 없었다.

학교로 오기 위해 꼭 건너와야 하는 배다리 건너편 읍내 친구들을 휘어

잡기 시작한 그는 서서히 반 전체를 장악한 뒤 5학년이 되자 반장 자리를 꿰차더니, 담임 선생님 대신 학급 일을 마음대로 처리하기 시작했다. 당연히 노는 시간의 놀이에도 반장은 간섭했으며 그의 눈밖에 드러나는 친구는 어떤 놀이에도 끼어들 수가 없었다.

그는 짧은 노는 시간의 미지게짜지게 놀이에도 벌점 같은 걸 적용해서 지는 팀에게는 청소 따위 잡일을 시켰으며, 담임 선생님은 그의 그런 행동을 통솔력으로 인정해서 아예 반 전체의 모든 일을 일임하기도 했다. 어쨌든 우리는 노는 시간에 뛰어노는 행위까지 반장의 간섭을 받아야 했다.

반장이 없는 곳에서는 불평하는 친구도 있었지만, 대놓고 반장에게 맞설 친구가 없었던 우리 반 급우들은 5학년을 거쳐 6학년 반 학기 동안 고스란히 반장의 눈치를 봐야 했던 불우한 날들이었다.

집이 학교 근처라서 배다리를 건너다니지 않고 학교에 다닐 수 있었던 나는 반장에게 책잡힐 일을 할까 눈치를 보긴 했지만 부당한 대우를 받지는 않았다. 다만, 미지게짜지게에서 자주 제외되었던 이유를 생각해 보니 나 같은 존재는 그의 관리 대상에 포함되지 않았던 게 분명했다.

우리 반에는 반장과 힘겨루기를 한다면 절대 지지 않을 친구가 두 명이나 있었지만, 웬일인지 두 명 모두 반장이 하는 일에 끼어들지 않고 그저 모른 체하고 있는 듯했다.

한 친구는 고아원생으로 얼른 봐도 또래보다 서너 살은 더 먹은 모습이었으므로 우리들은 그를 영감이라 불렀고, 그도 스스로 영감 행세를 했으므로 논외로 친다 하더라도, 우리 동네 근처에 사는 한 친구는 반장 못지않게 폭력적이고 떼거리가 심함은 물론, 제 하고 싶은 대로 행동을 하면서도 유독 반장 앞에서는 순한 척하는 것이어서 친구들의 빈축을 사기도 했다.

우리 반 애들 대부분은 반장과 떼거리 심한 그가 한바탕 싸우는 모습을 보고 싶어 했지만 둘은 좀체 다투는 일이 없었다.

딱 한 번, 교실 뒤에서 둘은 서로의 힘을 가늠해보는 듯 장난도 아니고 씨름도 아닌 몸싸움을 했으나 승부가 좀체 나지 않더니 방화수로 준비해 둔 들통의 물을 엎지르는 불상사가 생겼다.

은연중에 자존심이 걸렸다는 걸 알고 있는 둘은 옷이 젖는 걸 상관하지 않고 서로의 몸을 밀고 당기는 중에 아래층 3학년 교실의 선생님이 급히 올라오셔서 호통을 치셨다.

목조 건물의 2층 바닥에 쏟은 물은 금방 아래층으로 떨어져 내려 아이들이 놀라서 소리치는 바람에 선생님이 우리 교실로 급히 올라 오셨던 것이었다.

둘의 몸싸움은 흐지부지 끝났고, 반장이 걸레를 들고 아래층으로 달려가자 몇몇 아이들이 따라 내려가서 물청소를 해주는 것으로 사태는 끝나 버렸다.

힘겨루기의 결과가 모호하여 우리들은 둘이 한 번 더 겨루기를 은근히 기대했지만, 둘 중, 한 명은 자존심이 꺾일 것이라는 걸 스스로 알아차렸으므로 선불리 다시 힘겨루기 할 생각은 않는 듯했다.

우리 동네 근처에 사는 몇 명이 모여서 떼거리쟁이에게 우리 동네의 명예를 살려 보라고 힘을 실어 주며 반장을 찍어 눌러 보라고 했지만, 그는 오히려 우리를 은근히 더 괴롭히는 것으로 우리의 격려를 무시했다.

결국 힘없는 우리는 반장이 시키는 대로 놀이하고, 청소하고, 심지어 시험지의 답안지까지 고쳐주어야 했고, 반장보다는 조금 덜했지만, 떼거리쟁이의 횡포에도 시달리며 초등학생 시절의 삼분의 일쯤을 보냈다.

 세상은 항상 우두머리들 마음대로 움직이는 것이었고, 설혹 우두머리를 바꾼다고 해도 다음에 나타난 우두머리 역시 앞의 우두머리와 별반 다를 게 없다는 걸 안 것은 나이 들어, 아니 이 세상을 떠날 때가 다된 이제야 알게 되었다

27. 부찌갱이 용용

추위가 심해지자 교실 안에 난로를 놓았다.

교탁에서 세 명을 건너뛴 자리의 좌우 두 명의 자리를 비운 자리에 난로가 놓이자 아이들은 손뼉을 치며 좋아했지만 당장 땔 나무가 없었다.

불쏘시개야 다 쓴 우리들의 공책을 갖다 쓰면 되겠지만 땔감은 아무래도 장작이 있어야 했다.

난로와 함께 가져온 책상다리 부러진 각목 몇 조각으로는 어림도 없을 것이라는 건 선생님뿐만 아니라 우리도 알 수 있었다.

우리가 마음속으로 장작 걱정을 하는 것을 전혀 모르고 있기나 한 듯 선생님은 문제 될 게 아니라는 듯이 반 전체를 한 번 둘러 본 뒤 말씀하셨다.

"분단 별로 돌아가면서 일주일씩 난로 곁에 앉도록 하는데, 난로 곁에 앉는 분단이 장작을 가져오기로 한다. 장작을 많이 가져오는 애는 난로에서 제일 가까운 자리에 앉혀 주겠다."

선생님의 말씀이 새삼스러운 것도 없었지만 몇 명을 제외한 대부분의 반 애들은 저마다 걱정거리를 떠안은 눈치를 지울 수 없었다.

집에서 사용할 땔감도 제대로 구하지 못하는 형편이고 보니 학교에 가져올 장작을 구할 방법이 아득했다.

선생님도 그런 사정을 모르시는 건 아니었지만 개인 주머니를 털어서 장작을 사 댈 형편도 아니었으니, 학생 모두의 사정을 무시해버리는 편이 낫다고 생각하신 것 같았다.

양식 못지않게 땔감도 귀한 시절이었다.

집 가까운 곳에 야산이라도 있는 동네에 사는 아이들은 산 주인의 눈을 피해 몰래 산속으로 숨어 들어가서 아궁이에 들어 갈만 한 것이면 무엇이든 집어 왔다.

재수 없게 산 주인에게 들켜서 뺨을 얻어맞기도 했고, 도둑으로 몰아 경찰서로 끌고 가겠다는 엄포에 벌벌 떨면서 용서를 빌고 빌어 다시는 나무 도둑질을 하지 않겠다는 명세를 하고서야 풀려나곤 했었다.

그런 형편에 몇 개비나마 장작을 구해 학교에 가져간다는 것은 꿈에서나 해 볼 일이었다.

겨울이 시작되면서부터 군청 담이 끝나는 지점의 신작로 갓길에는 이른 새벽부터 시골에서 나무를 팔러 온 수레들이 줄을 서 있는 것을 볼 수 있었다.

공설운동장 입구쯤에서 수레의 줄은 거의 끝 나 있었지만 줄의 시작은 읍내로 넘어가는 배다리입구(우리 고향의 된 발음으로는 배따리껄) 쯤에서 시작되고 있었다.

읍내 사람들에게 팔 목적으로 수레마다 가득 싣고 온 땔감들은 대게 두 종류로 구분되었다.

마른 솔잎이 붙어 있는 소나무 가지를 포개어 짝을 만든 솔가지를 실은 수레와 잘 마른 소나무나 참나무를 불로 때기 좋은 굵기로 쪼갠 장작을 단으로 묶어 차곡차곡 실은 수레가 그것이었다.

먼 거리를 수레를 끌고 온 말들은 피곤하고 시장하여 주인이 가져다 놓은 여물통에 머리를 박고 있는 놈도 있었고, 먹이를 먹지 않는 놈은 되새김질을 하면서 가끔 커다란 콧구멍으로 흰 입김을 뿜어내고 있는 놈도 보였다.

땔감을 사러 올 손님을 기다리는 주인들은 담뱃대를 입에 물고 뻑뻑 빨아대며 가끔 지나가는 사람들의 눈치를 보고 있었다.

앞 마차의 땔감이 팔려나가고 줄이 당겨지면 수레의 주인은 얼른 말에게 먹이던 이동식 구유를 걷어들고 수레를 앞으로 끌고 가서 차례를 줄였다.

땔감을 사러 오는 손님이 뜸해지자 수레의 주인들은 모여 앉아 잡담을 나누며 시간을 죽이고 있었다.

이때쯤이 우리들이 학교에 가기 위해 집을 나서는 시간이었다.

우리 반 친구 4명은 어제 하굣길에 약속을 했다.

집에 있는 장작을 가지고 올 여유가 있는 나까지 포함한 걸 보면 근처 한동네에 사는 친구를 따돌리지 않고 한통속, 즉, 한 편으로 묶어두려는 의도가 다분했던 것 같았다.

나도 별다른 뜻 없이 그들과 어울려서 장작을 훔치는 데 협조하기로 했다.

장작을 훔쳐내려면 서 있는 수레보다 움직이는 수레를 택하는 것이 유리했다.

수레의 주인이 말고삐를 잡고 앞만 보고 가게 되면 우리는 수레의 양쪽에 붙어 서서 수레에 실린 장작을 한 개비씩 뽑아내어 슬쩍 소리가 나지 않게 바닥에 떨어트리면 되는 것이었다. 그러면 수레 뒤에 멀찌감치 따라가던 다른 친구는 바닥에 떨어진 장작을 얼른 집어서 골목으로 던져 넣었고 또 다른 친구는 골목으로 날아온 장작을 주워 보관하고 있으면 되는 것이었다.

장작을 묶어 놓은 나뭇단에서 표가 나지 않게 한꺼번에 많이 뽑아내는 바보 같은 짓을 하지 않았으므로 가끔 주인이 뒤를 돌아봐도 눈치를 채는 일이 없었다.

한 대의 수레에서 4명이 학교에 가져갈 장작을 다 빼낼 수 없었으므로 우리는 배다리 입구까지 몇 번이나 갔다 와야 했다.

장작을 실은 수레만 움직이는 것이 아니었으므로, 장작을 훔치기로 한 첫날부터 장작을 훔쳐내는 데 시간이 꽤 오래 걸리고 있었다.

자칫 지각할 염려도 있었지만 우리는 포기하지 않고 기회를 노리며 기다렸다.

시각을 가늠하지 못해 마음을 졸일 만했건만 성급하게 설쳐대는 친구는 없었다.

오히려 장작을 실은 수레가 움직일 때를 기다리는 동안 우리는 장난을 칠 대상을 물색하고 있었다.

줄지어 선 수레를 끌고 있는 말 중에서 수놈 말, 그중에서도 덩치가 큰 놈을 골라잡은 후 장난치기를 좋아하는 상용이의 짓궂은 행동이 시작되었다.

수레에 실려 있던 것 중에서 손가락 두 개 정도로 두꺼운, 잘 마른 소나무 가지를 빼내어 솔잎을 털어내고 남은 우둘투둘한 작대기를 움켜쥔 상용이는 수레 옆에 쭈그려 앉더니 말의 자지를 슬근슬근 긁어대기 시작하는 것이었다.

아무 생각 없이 여물을 되새김하면서 멀뚱멀뚱 앞만 보고 있던 말이 두어 번 콧김을 뿜어내더니 갑자기 뒷발로 땅바닥을 긁어대기 시작했다,

그에 맞춰 상용이의 손놀림이 빨라지기 시작했다. 그리고 무슨 소린지 내용도 모르는 노랫가락을 읊어대는 것이었다.

"부지깽이 용용, 용용 부지깽이."

상용이의 주문 같은 노랫가락에 맞춰 성이 난 말의 자지가 쑥쑥 커지면서 팔뚝만큼 길어졌고 우리는 킥킥대면서 그 모습을 보고 있었다.

그때 찰싹하는 소리가 들렸다.

수레의 주인이 다가와서 상용이의 뺨을 갈길 때까지 우리는 정신을 놓고 말 자지 구경을 하고 있었던 것이었다.

뺨을 얻어맞은 상용이보다 더 놀란 우리는 후다닥 솔밭 쪽을 향해 도망을 쳤다.

어물댔다가는 한 대 더 맞을 수도 있다는 것을 알고 있는 상용이도 아픈 뺨을 감싸 쥐고 우리 뒤를 쫓아 왔다.

학교 후문이 거기 있었지만 우리는 수레의 주인이 학교로 따라 올지도 모른다는 불안감 때문에 바로 학교로 갈 수가 없었다.

지각하더라도 시간을 끌어 수레 주인이 우리를 쫓는 걸 포기 할 때까지 기다렸다가 학교로 가자고 의견을 모았고 선생님에게는 장작을 구하느라고 시간이 걸렸다는 거짓말을 하자고 입을 모았다.

솔밭은 어두컴컴했고 쌩쌩 불어오는 바람은 차가웠다.

우리는 발을 동동거리면서 시간을 죽이는 한편 수시로 숲 바깥의 동정을 살피고 있었다.

한참이 지나도 아무 기척이 없었으므로 우리는 살금살금 솔밭에서 빠져나와 아까 화교 교문 옆집 담 밑에 숨겨 뒀던 장작을 찾으러 갔다.

화교 운동장에는 열댓 명의 학생들이 "일, 얼, 샨, 스."라는 구호에 따라 운동장을 돌고 있는 모습이 보였다.

오래 구경할 여유가 없었던 우리는 서둘러 우리의 학교로 갔다.

운동장은 텅 비어 있었고 이미 첫 시간이 반쯤 지났을 때였다.

우리는 교실로 들어섰다.

장작을 한 아름씩 안고 교실로 들어서는 우리들의 모습을 본 담임 선생님은 대번에 우리가 장작을 훔쳐 온 걸 눈치 채신 듯했다.

"야, 이놈들아! 장작 주인이 장작 값 받으러 왔다 갔다. 집에 가서 장작 값을 갖고 오든지 장작을 주인에게 돌려주고 와라."

그러나 우리는 선생님의 지시에 따를 수가 없었다.

집에 간들 장작 값을 받아 낼 수도 없었지만, 장작 주인이 누구인지도 모르는 판에 어떻게 그 값을 치를 수 있다는 생각을 할 수 있었겠는가?

서로의 표정을 살피면서 멀뚱거리는 우리에게 담임 선생님은 다시 큰 소리로 명령했다.

"뒤로 가서 손들고 꿇어앉아!"

그러면서 선생님은 우리가 내려놓은 장작 중에 몇 개를 난로에 집어넣으신 후 천천히 교단으로 올라가서 수업을 진행하는 것이었다.

손을 들고 꿇어앉긴 했지만, 선생님의 말씀이 거짓말이란 걸 알고 있는 우리는 안도했다.

선생님 몰래 손을 내려서 옆에 꿇어앉아 있는 친구의 옆구리를 찌르기도 하고 괜히 눈을 흘기기도 하는 사이에 시간은 흘러가고 있었다.

28. 이웃집에 살았던 도야

점심으로 즉석 우동 한 그릇 얻어먹었을 뿐인데도 배가 불러서 그랬는지 졸음이 밀려온다.

쿠션이 꺼져버린 소파에 올라앉아 졸았다가는 허리가 또 말썽을 일으킬 걸 알면서도 푹신한 유혹에 빠져 나도 모르게 소파에 올라앉았고 어느새 꾸벅꾸벅 졸고 있었다.

식곤증인지 춘곤증인지 비몽사몽 조는 중에 집 전화벨 소리가 울리는 걸 들으면서도 선뜻 일어나지 못하고 있었다.

대개는 전화벨이 몇 번 울려도 전화를 받지 않으면 끊었다가 다시 걸든지 할 텐데 누군지 모르지만 끈질기게 전화기를 붙잡고 있는 것 같았다.

주방 쪽에서 전화를 받아보라는 아내의 목소리를 듣고서야 부스스 일어나서 전화를 받았다.

"여보세요."

마지못해 받는 전화였기에 내 목소리는 시큰둥했을 게 분명했다.

집 전화번호로 전화를 거는 사람은 열이면 아홉이 보험 판매나 유명 상품을 빙자한 물품 판매 전화였으므로 당연히 그런 전화려니 하고 짜증스럽게 응대했다.

"XXX 씨 댁입니까?'

전화를 건 사람은 걸걸한 목소리로 내 이름을 들먹이는 것이었다.

내 이름을 알고 있는 남자의 목소리를 듣고도 계속 퉁명스럽게 대할 수는 없었다.

"그런데요?"

"댁에 계신다면, 좀 바꿔 주시겠습니까?"

"저가 XXX입니다."

"그래? 반갑다. 나, 도야다, 도야."

전화기 저쪽의 사내는 내가 이름을 밝히자마자 대뜸 말을 놓았으며 반가워서 그러는 것인지는 모르겠으나 목소리가 낚시에 걸려 올라온 피라미처럼 파닥거렸다.

그렇지만 나는 사내의 그런 말투가 못마땅했고 뜨악한 기분이 들었다.

"도야라니요? 도야가 누구요?"

"왜, 그, 있잖아? 삼문동에 살 때 옆집에 살았던 도야라니까."

여전히 파닥대는 목소리를 들으며 그제야 나는 퍼뜩 도야가 누군지 알아차렸고, 나보다 3년 선배였던 그의 이름이 생각났다.

"그럼 이상도 씨라는 말입니까?"

"그렇다니까, 내가 이상도야."

상대가 호들갑을 뜨는데 계속 찌뿌둥할 수만은 없었다. 내가 안부를 물었다.

"아, 정말 오랜만입니다. 안녕하십니까?"

"안녕하고말고! 그래 가족들은 다 잘 계시지?

"그럼요. 어머님은 저하고 같이 있습니다."

"어머니가 아직 살아 계신다고? 건강하시냐? 아, 한번 뵙고 싶다."

그의 이야기는 이어졌다.

강릉 쪽에서 살다가 부친이 전근을 오게 된 곳이 우리 고향이었으며 이웃집에서 몇 년을 살다가 다시 강릉으로 이사를 한다고 했던 게 기억났다.

정확하게 계산을 해 보지 않았으나 50년도 더 된 옛날 일이었다.

“그럼, 지금도 강릉에서 사십니까?”

“아니야. 지금은 부산에서 살고 있네. 옛 생각이 나서 한 번 찾아갔지. 옛날 모습이 남아있지 않아서 많이 서운하더라. 마침 국민학교 총동창회에 참석하게 되었다네. 자네를 보고 싶어 수소문했더니 자네 동기 중에서 누군가가 이 전화번호를 알려 주더군.”

그와 전화하는 동안 과연 이 사람이 나를 못 잊어 할 만큼 특별히 친하게 지냈는지 기억 해 봤으나 그런 사건이 얼른 떠오르지 않았다.

기회가 되면 얼굴이라도 한번 보자는 것으로 전화를 끊은 후에도 생각은 이어졌다.

단지 도야라는 이름만은 뚜렷이 기억할 수 있는 것은 내가 그 이름을 빙자해서 수시로 놀려 먹었기 때문인 것 같았다.

도야네 집과 우리 집은 이웃해 있었고, 두 집 사이에는 그 시절에 흔히 볼 수 있었던 나무판자로 된 담이 있었다.

우리 집은 공장과 안채가 기역을 뒤집어 놓은 형국으로 한 울타리 안에 있었다.

공장이 끝나는 지점부터 시작되는 마당에는 화단과 작지만 아담한 연못도 만들어져 있었고, 그 시절에는 보기 드물게 큰 닭장을 만들어 오십 마리도 훨씬 넘는 레그혼이라는 닭도 키우고 있었다.

닭장과 도야네 집 사이의 공간에 있었던 돼지우리에는 시커먼 돼지도 한 마리 키우고 있었다.

나는 이 돼지를 핑계 삼아서 도야를 놀려 먹곤 했다.

판자 담에 가로지른 지주 대에 올라서서 도야네 안방에서도 들을 수 있을 정도로 큰 소리로 돼지를 부르는 소리를 내는 것이 도야를 놀려 먹는 소리였다.

“도, 도, 도, 도.”

돼지를 키우는 집에서 먹이를 줄 때면 구유에 먹이를 부으면서 도, 도, 도, 도, 하면서 안쪽에 엎드려 있는 돼지를 불러낸다는 걸 알고 있었으므로 나도 그 흉내를 내는 것이었지만, 실상은 도야를 놀려 먹기 위해 일부러 그런다는 것을 도야도 알고 있었다.

(‘도’는 돼지의 옛말인 ‘돝’ 이 변한 말일 것이다)

상대가 아무렇지도 않게 받아 넘기면 내 쪽에서 재미가 없어서 그만둘 텐데 도야는 내가 담장에 올라서기만 해도 잔뜩 긴장하여 내 행동을 주시했으므로 그 모습을 보는 것만으로도 재미가 있었다. 그렇지만 집을 벗어나서 골목 같은 데서 도야를 만나게 되면 나는 시치미를 뚝 떼고 선배를 잘 따르는 후배 역할을 충실히 하여 행여 그가 트집을 잡을 빌미를 주지 않으려 애를 썼다.

9월에 접어들었지만, 날씨는 여전히 더웠던 날이었다고 기억이 난다.

안채와 공장 사이에 있는 감나무 근처에 아버지가 만든 연못에 물이 반쯤 줄어 있는 걸 보았다.

양철로 만든 파이프를 펌프 아가리에 끼워 넣은 후 펌프로 물을 퍼 올려 연못으로 보내고 있는데 돼지우리 너머에서 도야가 기웃대는 모습이 보였다.
이발을 하고 왔는지 유난히 납작한 뒤 꼭지가 햇볕에 드러나서 반들거리고 있었다.
나와 눈이 마주친 도야는 몸을 돌려 마당 안쪽으로 가 버리는 것이었다.
이번에는 내가 호기심이 생겨서 하고 있던 펌프질을 그만두고 부리나케 담장 쪽으로 달려가서 판자를 지탱하고 있는 두 번째의 각목 위에 올라섰다.
도야는 자기 집 마당의 감나무 밑에 놓여 있던 평상에 누워 있었다.
"도, 도, 도, 도."
내 입에서 또 돼지를 부르는 소리가 나왔다.
그러나 그 소리를 들었을 게 분명한데도 도야는 꼼짝도 하지 않았다.
도야가 못 들은 척하고 있는 것에 은근히 약이 올랐고 좀 더 심한 소리를 하고 말았다.
아까 봤던 납작한 뒤 꼭지가 생각났다.
"도, 도, 도, 도, 납작 가오리, 도, 도, 도, 도."
도야가 벌떡 일어서더니 내가 있는 곳으로 달려왔다. 설마 담을 뛰어넘어 오지는 않을 것이었기에 겁이 났지만, 도망을 가지 않고 담장에 그냥 올라서 있었다.
도야가 판자 담을 발로 냅다 차면서 때려죽일 거라는 소리와 함께 욕을 했다.
내가 담장에서 내려서야겠다는 생각과 동시에 어처구니없는 일이 벌어졌다.

도야가 발로 차서 그랬던 건지 손으로 밀어서 그랬던 것인지는 모르겠으나 판자 담이 그냥 앞으로 무너져 내린 것이다.

판자 담을 껴안고 쓰러진 나는 깜짝 놀라기도 했지만, 우선은 도야에게 잡히지 않아야 된다는 생각에 벌떡 일어서서 도망을 치려고 몸을 돌려 발을 내디뎠다.

그러나 두 발짝도 못 뛰고 그냥 주저앉고 말았다.

오른발 뒤꿈치에 심한 통증을 느꼈기 때문이었다.

너무 아파서 어떻게 된 건지 보려고 발을 들어 올린 순간 판자 담이 들썩 딸려 올라왔다.

어른 키보다 더 길고 한 뼘도 더 되는 판자 열 장 정도가 각목에 엮어져 있던 한 판이었는데 그게 딸려 올라왔던 것이었다.

아프기도 하고 놀랍기도 해서 신음 소리를 내면서 주저앉아 어떻게 된 건지 상태를 살펴보니 판자를 각목에 고정시키기 위해 박아 놓은 대못이 발뒤꿈치에 깊숙이 박혀 있는 것이었다.

나만 놀란 것이 아니라 도야도 내 모습을 보더니 엄청나게 놀란 모양이었다.

담장을 무너뜨린 것도 큰일인데 내가 못에 찔려 쩔쩔매는 것을 보고 그냥 모른 채 할 수가 없었던 모양이었다.

도야는 부리나케 무너진 담을 넘어 와서는 우리 공장 쪽으로 달려가면서 큰 소리로 말했다.

“못을 뽑지 말고 그냥 있어라! 망치 가져올게.”

못이 박히다시피 한 뒤꿈치를 들어다보며 아픔을 참고 있자니 도야가 헐레벌떡 거친 숨을 내쉬며 큼직한 망치를 들고 돌아왔다.

이어서 도야는 한쪽 발로 판자를 밟고 내 발목을 잡아당겨 뒤꿈치에 박혀 있던 못을 빼낸 후 흡사 못을 박는 것처럼 못에 찔렸던 부위를 큰 망치로 두들기기 시작했다.

확실하지는 않겠지만 엄살을 떠는 게 아니라 못에 찔린 깊이가 거의 1cm는 되어 보였는데 이상하게도 피는 찔끔 두어 방울 나오다 말았다.

못에 찔린 것보다 도야가 계속 망치질을 하는 것이 못마땅해서 그만 두라고 했다.

"못에 찔린 데는 망치로 두들겨야 빨리 낫는다더라. 조금만 더 참아 봐라."

도야는 재미나는 놀이라도 하는 것처럼 망치질을 멈추지 않았다.

그런데 이상하게도 망치질이 계속될수록 아픈 느낌이 사라지는 것 같았다.

"됐다. 이젠 하나도 안 아프다."

"그러면, 일어서서 걸어 봐라."

도야가 시키는 대로 일어서서 발걸음을 떼었다.

뒤꿈치가 바닥에 닿으면 많이 아플 것이라는 생각으로 긴장한 때문인지 나도 모르게 까치발로 걸음을 걷고 있었다.

"뒤꿈치로 디뎌봐라. 그래야 아픈 걸 알 거 아니냐?"

"못에 찔렸는데 안 아프겠나? 네 발이 아니라고 네 멋대로 생각하나?"

말을 짜증스럽게 내뱉고는 도야 말대로 뒤꿈치를 땅바닥에 대고 지그시

눌러 보았다,

그런데 아플 거라는 생각과는 달리 아픈 감각이 느껴지지 않았다.

살포시 걸음을 떼었다.

한 발, 또 한 발, 천천히 걸음을 걸었는데 의식을 해서 그런지 왼발에는 힘이 들어갔고 오른발은 아무래도 조심스럽게 움직였던 모양이다.

내가 느끼기에도 약간 다리를 저는 그런 모양이 되고 말았다.

"많이 아프냐?"

도야가 내 모습을 보고 있다가 물었다.

"몰라, 아픈지 어떤지 모르겠다."

망치질을 해서 그랬는지 상처 부위만 건드렸을 때 약간 찌릿할 정도였다.

며칠이 지나자 못에 찔렸다는 사실도 잊어버릴 만큼 뒤꿈치는 거짓말같이 아프지도 않았고 걸음을 걷는 데도 전혀 지장이 없었다.

하도 신기해서 가끔 뒤꿈치를 들고 어떻게 된 건지 자세히 살펴보기도 했으나 약간의 상처 비슷하게 못에 찔린 부위가 멍이 든 것처럼 파르스름하게 보이기도 했으나 걱정할 정도는 아닌 듯했다. 그러다 보니 자연스럽게 뒤꿈치가 못에 찔렸다는 사실도 잊고 있었다.

2~3개월 지난 나중에 뭐가 잘못되어서 그랬는지 상처 부위가 도져서 고생은 좀 했지만, 도야를 원망하거나 그러지는 않았던 것 같았다.

그때를 생각하며 새삼스럽게 뒤꿈치도 한 번 들여다보고 머리가 납작했던 선배를 생각하다 보니 다시 졸음이 쏟아졌다.

정신을 차리려고 억지로 눈꺼풀을 껌벅이면서 졸음을 쫓아내려고 애를 쓰고 있었지만, 마음은 옛날 고향 집 판자 담 언저리에서 서성대고 있었다.

29. 촛농, 그 자릿자릿한 뜨거움.

옆집에 사는 도야를 놀리다가 담장이 무너지면서 발뒤꿈치가 못에 찔려 생긴 상처는 망치로 두들겨 피를 빼서 그랬는지 생각보다 쉬 아문 것 같았고, 걸음을 걷는 데 전혀 지장이 없었으므로 그럭저럭 상처가 생겼다는 것도 잊어버리고 있었다.

가을이 깊어져 앞마당의 감나무 이파리들이 불그스름하게 물들더니 어느새 바람이 불 때마다 마당으로 떨어져 내려 여기저기 굴러다니는 게 보이기도 했고, 자고 일어나보면 도야네 기와지붕 위에 서리가 하얗게 내려앉아 있기도 했다.

덧문을 닫지 않아 밤새도록 찬바람을 맞아 찬 기운이 느껴지는 마룻바닥에 발을 디디던 나는 갑자기 발뒤꿈치가 뜨끔한 느낌을 받았다.
다 나은 줄로 생각하고 있었다가 새삼 아픈 느낌이 드는 게 이상했지만, 별일 아닐 것이라고 여기고 다시 걸음을 옮겼더니 아까보다 좀 더 심하게 찌릿한 아픔을 느꼈다.
심상치 않은 생각이 들어 바로 마룻바닥에 퍼져 앉아 발뒤꿈치를 들여다보았다.
못에 찔린 흔적은 보이지 않았으나, 새끼손가락 반 마디 정도의 크기로 흐리긴 했지만 불그스름한 반점이 보였다.
손가락으로 반점을 눌러 보니 조금 전 바닥을 디뎠을 때 느꼈던 통증과 비슷한 느낌이 왔다. 아픈 부위를 손가락 끝으로 문질러보니 무언가 피부 안쪽에 몽글한 것이 만져지는 것 같았다. 발바닥의 굳고 딱딱한 겉 피부의 상처는 다 아물었지만, 못이 파고 들어간 안쪽의 상처는 다 낫지 않고 도지는 게 분명하다는 생각이 들었다.

걸음을 걸을 때 조금만 조심하여 상처 부위와 바닥이 닿지 않기만 하면 통증을 느낄 수 없었으므로 그냥 참고 지내기로 했지만, 혹시나 상처가 덧날까 봐 걱정도 되었다.

겉 부분에 상처가 보이지 않고 멀쩡하여 약을 발라도 헛일일 거라는 생각을 하면서도, 시험 삼아 빨간약을 발라 보았으나 발바닥을 바로 세울 수가 없다 보니 약물은 그냥 쭈르르 밑으로 흘러 내려버렸고, 반점 부위엔 빨간 약을 바른 흔적도 희미하여 아예 약을 바르는 건 포기하기로 했다. 상처에 뿌리면 직방이라고 했던 다이아찡 가루가 있었지만, 겉으로 보기에 아무렇지도 않은 곳에 뿌려봐야 약만 낭비하고 말 것이라는 생각에 사용해 보지도 않았다.

날씨는 점점 추워지고 있었다.

바깥에서 뛰어놀 때는 아무렇지도 않던 것이 따뜻한 방에 들어오면 발뒤꿈치가 근질대고 한 번씩 쑤셔대는 느낌 때문에 신경이 쓰여 그냥 두고 있을 수가 없었다.

날이 갈수록 반점의 색깔이 제법 벌겋게 뚜렷해지는 것도 불안했다.

수술하듯. 면도칼로 반점 부위를 찢은 후 약을 발라볼 생각도 해봤으나, 괜히 상처를 덧들일지도 모른다는 생각이 들었고, 무지하게 아플지도 모른다는 생각도 들어서 연팔 깎는 칼을 꺼내 들기는 했으나 감히 칼을 댈 엄두는 내지 못하고 있었다.

주저하고 망설이는 중에도 따뜻한 곳에 발바닥을 대기만 해도 뒤꿈치가 근질거려 신경은 온통 발바닥에 집중되어 있었다. 그러면서도 병원에 가볼 생각 같은 건 해보지도 않고, 스스로 좋은 치료 방법이 없을지 궁리만 하고 있다가 문득 뜨거운 것으로 소독을 하면 좋을 것 같다는 생각이 들어 바로 시행해보기로 했다.

서랍에서 양초를 꺼내어 불을 붙였다. 이내 불이 붙은 심지 근처의 양초가 녹아서 촛농이 제 몸통을 타고 흘러내리는 걸 볼 수 있었다.
발바닥이 천정으로 향하게 최대한 발목을 꺾은 다음 촛불을 들어 발바닥 쪽으로 가져갔다. 침을 꿀꺽 삼킨 후 조심스럽게 촛농을 반점 위에다 떨어트렸다.

불에 댄 듯 화끈한 통증에 이어 말로 표현할 수 없는, 오줌을 지릴 뻔한 야릇하고 자릿자릿한 쾌감에 나도 모르게 침까지 흘리고 말았다.
손등으로 침을 닦아 내고, 통증보다 쾌감을 의식하며 한 번 더 촛농을 떨어트렸다.
처음과 같은 통증은 없었고, 시원하다는 표현 외엔 달리 표현할 수 없는 쾌감이 전신을 훑었다. 이번에도 침이 절로 흘러내렸으며 쾌감은 촛농이 식으면서 금방 사라졌다.

굳어 버린 촛농이 하얗게 반점을 덮고 있었고, 살갗은 끓는 촛농에 익어버렸는지 빨갛게 변해있었다. 굳은 촛농을 긁어내고 두어 차례 더 촛농을 떨어트리고 나니 근질대던 증상이 사라진 느낌이 들었다.

이튿날 아침에 발바닥을 들여다봤더니 반점 부위가 제법 부어 있는 걸 볼 수 있었다. 그렇지만 근질대던 증상은 많이 없어진 것 같아 뜨거운 촛농이 상처에 효과가 있다는 생각이 들어 수시로 촛농으로 상처를 지지는 작업을 했다.

일주일쯤 지나자 새끼손가락 한마디보다 훨씬 크게 둥그런 모양으로 상처 부위가 허옇게 변해 있었고 만져보니 제법 딱딱한 느낌이 들었다. 촛농을 떨어트려도 처음처럼 쾌감이나 아픔도 느낄 수 없어 허옇게 변한 피부는 이미 끓는 촛농에 익어버린 후 마른 상태인 것 같았다.

핀셋으로 말라버린 피부 근처를 깔짝거려보았더니 너무 쉽게 촛농을 부었던 피부 전체가 병뚜껑 열리듯이 들고 일어나는 것이었다. 팽이 모습과 흡사한 피부가, 아니 살점이 떨어져 나온 뒤꿈치의 안쪽엔 발그스레한 새 살이 돋아나고 있었다. 떨어져 나온 살점엔 그동안 숨어있었던 상처의 독소들이 죽은 채 엉겨있는 게 분명했다.

눈으로 보기에 홈이 파진 안쪽에는 새살이 돋아나는 게 분명했지만, 이제는 못에 찔린 상처의 아픔이 아니라, 촛농으로 입은 화상이 나으려는 간지러움 때문에 은근히 신경이 쓰였다.

날이 추워졌음에도 월요일 아침마다 전교생이 운동장에 모여야 했던 조회 시간에는 교장 선생님의 훈시를 듣는 내내 뒤꿈치의 간지러움을 참고 있는 게 여간 고역이 아니었다. 간지럼을 이겨내기 위해, 아니 이겨내는 것이 아니라 즐기기 위해 내가 생각해 낸 것은 신발 안에 조그마한 돌멩이를 집어넣어 발뒤꿈치 홈이 파진 부위에 대고 돌멩이를 지그시 누른 채 슬슬 돌리며 문지르는 행위였다.

돌멩이와 새살이 접촉할 때의 짜릿한 쾌감을 즐기기 위한 나의 행위는 수업 시간에도 계속되었으며. 좀 더 자극적인 쾌감을 얻고자 상처 부위와 잘 맞아떨어지는 작은 돌멩이를 찾으려고 노는 시간이면 운동장 가를 돌아다니기도 했다. 정확한 기억은 나지 않지만 신발 안의 돌멩이를 굴리던 행위는 오래 계속되었고 겨울 방학 중에는 집에서도 그러고 있었던 것 같다.

나중에는 상처가 완전히 다 나아서 뒤꿈치에 옅은 곰보 자국 같은 것만 남아 있었는데 그걸 보고 있기만 해도 발바닥이 근질대는 기분이었다.

큰 도시의 좋은 중학교에 입학하지 못한 것은 순전히 성적이 좋지 못했기 때문이란 것이 내 생각인데, 발뒤꿈치의 쾌감을 즐기느라 수업에 소홀했던 게 원인이었을 것이고, 더 따지고 들자면 옆집 살던 도야를 놀려먹다가 발생한 사고 때문이라는 황당하고 어이없는 생각도 해 본다.

오십 수년 전의 일탈이 지금 늘어놓을 수 있는 좋은 핑계거리가 된 셈이다.

30. 사라호 태풍

오랜 가뭄으로 저수지가 바닥을 보이고 논바닥이 거북등처럼 갈라져 있는 모습의 뉴스를 어제 본 것 같은데, 오늘 아침 일기예보는 태풍의 영향으로 전국에 비가 내릴 것이라고 한다.

도시에 사는 사람은 가뭄의 피해를 직접 느끼지 못하니까 단지 날씨가 무더우니 시원한 소나기라도 한줄기 내려주었으면 좋겠다는 소박한 기대를 하는 정도겠지만, 농민이나 식수가 귀한 지역에 사는 사람들이 비를 기다리는 마음은 다른 무엇과 비교도 할 수 없을 것이다.

간절한 심정으로 기우제를 지낸 사람들의 소원을 받아들인 건지 드디어 태풍이 북상하고 있다니 천만다행이다.

태풍을 천만다행으로 받아들인다는 심정은 나 혼자만의 마음이 아닐 것이니 과거에 태풍의 피해를 본 사람들은 오해가 없었으면 좋겠다.

적도에서 발생한 증기가 뭉쳐진 것이 태풍이 된다고 했는데 과학적인 원리야 어쨌든 생소한 이름의 태풍이 연달아 2개가 북상한다는 뉴스를 듣다 보니 불현듯 까마득한 옛날에 겪었던 사라 호 태풍 때가 생각났다.

추석 차례를 끝내고 가족들이 차례 상 앞에 둘러앉아 음식을 먹기 시작했을 때였으니까 오전 10시쯤이었던 걸로 기억이 난다.

집 뒤 소전거리로 소방차가 방송을 하면서 분주히 지나가는 소리가 들렸다.

잡음이 심한 스피커 소리라서 방송 내용을 확실히 알아들을 수는 없었으나 심각하고 급박한 상황을 알리는 소리라는 건 알 수 있었다.

밤새 비가 많이 와서 바깥채의 공장 지하실에 물이 스며들고 있다면서 아버지는 몇 번이나 지하실에 들락거리면서 임시방편으로 물막이 공사를 했지만, 안심이 안 된다고 했는데 소방차가 다니면서 경고 방송을 하는 것을 듣고 나니 우리 집뿐만 아니라 안쪽 동네의 사태가 꽤 심각한 것 같았다.

소란스러운 소리가 들리는 바깥 사정이 궁금하여 소전거리와 접해있는 뒤란으로 달려가서 판자 담에 가로지른 버팀목을 사다리 삼아 올라가서 거리를 내다봤더니 생각하지도 않았던 광경이 펼쳐지고 있었다.

살림살이를 가득 실은 손수레들이 줄을 잇다시피 몰려나오고 있었고, 앞장선 아이는 개도 아닌 돼지를 새끼줄로 목을 매어서 끌고 동생인 듯한 어린애는 회초리로 돼지의 엉덩이를 때리면서 뒤를 따르는 모습도 보였다.

비는 거의 그친듯했지만 바람은 계속 불고 있어서 길 건너편 군수 사택의 정원에 있는 나무들의 이파리가 달린 가지들이 모두 안쪽 동네 방향으로 고개를 숙이고 있는 것도 보였다.

손수레로 부족했든지 보따리를 어깨에 짊어지고 머리에 인 사람들이 계속 몰려나오고 있는 사이 방송 대신 사이렌을 울리면서 아까 동네 안쪽으로 들어갔던 소방차가 돌아 나오고 있었지만 피신 나오는 사람들 때문에 제대로 움직이질 못하고 있었다.

강물이 얼마나 불어서 저 난리를 치는 것인지 궁금하여 강으로 가볼 작정으로 집을 나섰다.

피난을 가는 사람들은 공설운동장 입구에서 읍내 쪽을 향해 가고 있었으므로 운동장으로 가는 길은 비어 있었다.

단숨에 운동장으로 들어섰다.

계속 불어대는 바람 때문에 키 큰 소나무들의 가지끼리 부딪히는 소리가 요란했다.

운동장 바닥에 물이 질퍽해서 내려다 봤더니 강과 가까운 운동장 안쪽의 바닥 여기저기에는 물이 솟아나는 샘이 생겨 있었고 연방 물이 뿜어져 나오고 있었다.

넓은 운동장의 반 이상이 샘으로 변해 있는 게 하도 신기해서 물이 솟아나는 모습을 구경하고 있는데 솔밭에서 경찰 아저씨가 뛰어나오더니 냅다 호루라기를 불어 대는 것이었다.

어리둥절해 멈칫거리는 내게 경찰 아저씨가 말했다.

"여기는 위험하니 빨리 집으로 돌아가서 어른들하고 높은 곳으로 피신하도록 해라."

겁이 덜컥 들어 재빨리 집으로 돌아와 보니 우리 집에도 난리가 나 있었다.

안쪽 동네보다는 지대가 좀 높다고 안심하고 있었던 게 일을 더 키운 것이었다.

마당으로 물이 밀려들었고 아버지가 애써 만든 연못은 물에 잠겨 형체를 찾을 수도 없었다.

당장 손수레를 구할 수가 없다 보니 옷가지들은 이불보로 둘둘 말아 보따리로 만들었고 간단한 취사도구만 챙길 수 있었다.

짐을 싸고 있는 중에도 물은 불어났고 밀려드는 속도가 엄청 빨랐다.

다급해진 아버지는 어머니와 우리들이 먼저 피신하라고 말했고 우리는 각자 들고 갈 수 있는 보따리를 챙겨 들고 집을 나섰다.

아까 운동장에 갔다 올 때와는 딴판으로 운동장 입구 신작로에도 붉은 황토물이 종아리가 잠길 정도의 깊이로 밀려오고 있었는데 스무 발짝도 떨어지지 않은 군청 정문 앞 도로에는 건너편 수원지 앞의 웅덩이의 물이 넘쳐흘러 무릎 깊이로 물이 불어 있었다.

웅덩이 앞을 지나면 완만한 고개가 시작되어 지대가 좀 높았다.

그곳에는 물이 밀려들지 않았고 근처에 사는 사람들이 도로변에 나와서 피신을 가는 사람들을 구경하고 있었다.

우리 학교 정문 못 미친 곳에 있던 동물병원 원장 사모님이 큰소리로 우리를 불러 세웠다.

"물난리 한두 번 겪는 것도 아니고, 멀리 가지 말고 우리 집에 짐을 맡겨요."

어머니는 반색하면서 우리에게 들고 있던 짐을 병원 소파 위에 내려놓게 했다.

"여기라면 짐을 한 번 더 챙겨 와도 되겠다."

살림살이를 많이 못 챙긴 어머니는 집에 한 번 더 다녀오겠다고 했으나 금방 우리 뒤를 따라온 아버지의 말을 듣고는 병원에 내려놓았던 짐을 다시 챙겨들고 읍내로 향할 수밖에 없었다.

“마암 산 쪽에서 강물이 치고 올라와서 여기도 금방 잠길 판이라고 하니 서둘러라.”

우리가 살던 동네는 삼각주 형태였는데 반쯤 읍내 쪽으로만 둑이 만들어져 있었고, 솔밭 입구에서 나누어져 흘러가는 강물이 다시 만나는 예림이라는 동네 쪽에서 읍내 상류 쪽으로는 둑이 만들어져 있지 않았다.

남천 강이라는 이름의 우리 동네 강물은 수 킬로 미터 떨어져 있는 낙동강으로 흘러들어 가고 있었는데 우리 고장에 내린 비보다 훨씬 많은 양의 비가 낙동강 상류 지역에 내렸고, 한꺼번에 모인 빗물이 바다로 몰려간 시간이 마침 밀물 때와 겹쳐져서 강물이 역류하고 있다는 것이었다.

배다리를 건너면서 보니까 다리 난간에 거의 닿을 듯이 불어난 황토물이 소용돌이치면서 빠른 속도로 흘러가고 있었다.

초가집이 송두리째 떠내려 오고 있었고 커다란 소 한 마리가 허우적거리며 떠내려 오는 놀라운 광경도 보였다.

누구네 땅콩 밭을 헤집었는지 얽히고설킨 땅콩 줄기들이 자맥질을 하면서 다리 밑으로 지나가는 것도 보았다.

그 와중에 갈고리를 매단 장대로 떠내려 오는 것을 건져내려고 강기슭을 부지런히 왔다 갔다 하는 사람도 있었다.

읍내 이모 집으로 가는 어른들을 따라가지 않고 다리 건너 산등성이에 있는 누각에 올라가서 물 구경을 했다.

금방 강 건너 우리가 살던 동네 전체가 지붕만 남겨 놓고 물속에 잠기는 모습을 보고 있자니 서둘러 집에서 빠져나온 게 정말 다행이라는 생각이 들었다.

우리 학교 뒤편 둑의 일부가 큰 두레상 크기 정도로 물에 잠기지 않은 채 모습을 드러내고 있었는데 몇 마리인지 모를 정도로 많은 개가 모여 있는 것이 눈에 띄었다.

그제야 우리 개가 없어진 걸 알았다.

족보가 있는 순종이라고 했지만 정확한지는 모르겠고, 흰털 사이에 주먹만 한 진한 고동색 반점이 드문드문 섞인 수놈 포인터로 아주 영리하고 주인을 잘 따르는 가족 같은 개였다.

서둘러 대피하느라고 경황이 없었다곤 해도, 말만 가족 같다고 하면서 미리 챙기지 않은 것은 큰 잘못이었다.

사슬로 묶어둔 채 그냥 두고 나왔을지도 모른다는 생각이 들었고, 무거운 개집에서 벗어나려고 물속에서 발버둥 치다가 결국에는 목숨을 잃었을지도 모른다는 생각을 하니 죄책감에 몸이 부들부들 떨렸다.

아버지나 어머니에게 빨리 알려야 되겠다는 생각이 들었지만, 이제 와서 부모님이 안다고 한들 별 수가 없을 거라고 생각하니 맥이 빠지는 것이었다.

서양 여자의 이름인 메리는 수캐의 이름으로는 합당하지 않다는 것을 몰랐던 만큼 창피한 줄 모르고, 메리라고 부르며 3년 넘게 식구처럼 여겼으면서, 피난 나올 때 챙기지 못했다는 게 말도 되지 않는다고 자책하는 중에도 눈 아래 도도히 흘러가는 황토 물엔 온갖 잡동사니가 떠내려가고 있었다.

하늘은 파랬다.

언제 비를 퍼부었느냐는 듯,

31. 두고 온 메리

메리에 대한 안타까운 생각도 오래가지 않았다.

황토 물에 온갖 것들이 떠내려 오는 광경을 구경하느라 넋이 빠져버려 이모 집으로 빨리 가야 한다는 생각도 잊고 있는데, 주위 사람들이 일제히 소리를 치는 바람에 정신이 돌아왔고, 시선은 바로 강물 위 한 지점에서 멈췄다.

굽이치는 뻘건 황토 물 위로 떠내려 오고 있는 것은, 아까도 몇 번이나 보았던 비슷한 모양의 초가집이었지만 이번에는 지붕 위에 사람이 있는 것이 보였다.

강물 속으로 휩쓸려 들어가지 않으려고 그러는 것이었을 텐데, 지붕 위에 납작 엎드린 자세로 한 손으로는 지붕의 볏짚을 엮은 새끼줄을 움켜쥐고, 한 손으로는 살려 달라는 표시로 손을 내젓고 있었다.

보통 때보다 서너 배나 강폭이 넓어졌을 뿐 아니라 깊이는 가늠도 할 수 없을 정도에다 물살이 워낙 거세다 보니 누구도 떠내려가는 초가집을 건져 내려고 엄두를 내는 사람이 없었다.

보고 있는 사이에 떠내려 오던 초가집이 다리 밑을 아슬아슬하게 빠져나갔다.

지붕이 조금만 더 높았더라면 다리 난간에 부딪혀서 박살났을 거라고 옆에서 누군가가 아는 체 했다.

"예림 다리에 닿기 전에 저 사람을 구해내야 하는데, 예림 다리는 배다리 보다 낮아서 그냥 떠내려갔다가는 영락없이 박살나고 말건 데……"

걱정스럽게 그렇게 말을 한 사람은 눈앞의 광경이 자신의 일이 아니고 보니 금방 다른 구경거리로 관심을 돌리는 것 같았다.

다리 아래쪽에서 갈고리를 매단 장대를 가지고 있던 사람이 지붕 위의 사람을 구해 보려고 밧줄로 묶은 자신을 던져 물속으로 뛰어 들어가서 장대를 휘젓는 모습이 보였다.

근처에서 구경하던 사람들이 격려하는 고함이 들려왔다.

그러나 장대의 길이는 초가집에 닿기에는 턱없이 짧았다.

남자는 자신의 몸을 묶고 있는 밧줄을 믿고 강물에 몸이 떠내려가는 것도 아랑곳하지 않고 몇 번 더 장대를 휘저었으나 초가집은 남자를 비웃듯 덩실덩실 남자로부터 더 멀리 떠내려가고 있었다.

그곳쯤은 물이 들기 전에는 우리 동네의 배도 더 되는 넓이의 밭이 펼쳐져 있던 곳이었지만 물이 들면서 강폭은 상상도 할 수 없을 만치 넓어져서 마치 바다의 한 부분 같았다.

구경하는 사람들의 탄식 소리만 남겨놓고 초가집은 그 넓은 곳으로 너울대며 떠내려가고 말았다.

내가 방금 본 모습처럼 지붕 위로 피신을 했던 숱하게 많은 사람이 떠내려가던 도중에 운 좋게 구조를 받아 살아난 사람도 있었지만, 많은 사람은 떠내려가던 도중에 다리의 난간이나 나뭇등걸 따위 다른 물체들과 부딪쳐 집이 산산이 조각나는 바람에 억울한 죽임을 당한 사람이 많았다고 했다.

나중에 들은 이야기지만 원양 상선의 선장으로, 나중에는 도선사로 정년퇴직을 한 초등학교 동기 한 명도 갑자기 들이닥친 물길을 피하지 못하고 여동생과 함께 지붕을 타고 수 킬로미터나 떠내려가다가 하류 지역에서 대대적으로 구명 활동을 하고 있던 사람들 덕분에 운 좋게 구조되어 목숨을 건졌지만, 함께 떠내려가던 여동생은 다리 난간의 거센 물결에 휩쓸려 그만 물속에 잠겨버려 영원히 찾지 못하고 말았다고 했다.

물 구경을 하면서 보낸 시간이 오래되어 어른들이 걱정하고 있을지도 모른다는 생각이 들어 부리나케 이모 집으로 찾아갔을 때는 저녁때가 다 되었을 때였다.

어른들은 졸지에 당한 물난리 때문에 정신을 놓고 있었든지 내가 놀다가 늦게 온 것에 대해서는 심하게 나무라지 않아서 다행이라는 생각이 들었다.

늦게 온 변명을 섞어 메리를 데리고 나오지 않은 불평을 했더니, 놀래기도 하고 죄책감에 젖은 표정으로 혀를 차기도 하고 한숨만 내쉴 뿐, 당장 어떻게 해 볼 방법이 없었으므로 메리의 운이 좋기만 바라자고 하셨다.

물이 빠질 때까지는 집으로 돌아갈 수 없는 처지였으므로 이모 집의 아래채 좁은 방에서 우리 여섯 식구가 하룻밤을 보내게 되었다.

물 구경을 다니느라 피곤했든지 눕자마자 잠이 들었고 아침에는 다른 날보다 일찍 잠에서 깨어났다.

비를 퍼부어댔던 하늘은 감쪽같이 맑았다.

아버지는 나보다 더 일찍 일어나서 물에 잠긴 동네 형편을 살펴보고 왔다면서 집으로 돌아갈 준비를 서둘렀다.

우리는 올 때처럼 보따리를 챙겨 들고 이모 집에서 나왔다.

배다리를 건너면서 보니까 도도하게 흐르던 물길은 하루 밤새 언제 그랬냐는 듯 강폭은 거의 제 모습으로 돌아와 있었다.

읍내 골목 마다 피신 나왔던 사람들이 쏟아져 나온 신작로는 복작거렸고 하루 만에 피곤하고 지친 모습으로 꾸러미 꾸러미 뭉친 보따리를 실은 손수레를 밀거나 당기면서 각자 제집을 찾아가고 있었다.

물에 잠겼던 도로는 떠내려 온 진흙으로 질척거렸지만, 사람들은 그런 것에는 신경을 쓰지 않는 듯 했다.

그들 틈에 끼어서 우리 식구들도 집으로 돌아왔다.

집 마당을 둘러싸고 있었던 판자 담은 흔적도 찾을 수 없었고 뻘밭으로 바뀐 마당은 턱없이 넓어 보였다.

대문 옆이 허전하다는 느낌이 들어서 둘러보았더니, 두 칸의 방이 있었던 옆집 기와집이 폭삭 무너져 내려버렸고 남은 집터엔 물을 잔뜩 먹은 시커먼 기왓장만 어지럽게 널브러져 있었다.

아버지는 우리들이 집에 들어가지 못하게 한 뒤 혼자서 조심스럽게 집 안으로 들어가셨다.

옆집이 무너져 내린 걸 보고 우리 집도 무너질지 모른다고 생각하신 것 같았다.

아버지가 집을 둘러보는 동안, 길지 않은 시간이었지만 나는 보이지 않는 메리를 찾느라고 고개를 빼고 집 주위를 두리번거렸다.

개집에 연결된 개 사슬이 흘러온 진흙에 묻혀 있어 당겨 보았더니 메리의 목줄에는 연결되어 있지 않았던 듯해서 조금은 마음이 놓였다.

영리하고 헤엄도 잘 쳤으므로 쉽게 물에 휩쓸려가지는 않았을 거라고 막연한 기대도 했다.

한참 후에 집안을 둘러보고 나온 아버지는 “우리 집은 양철 지붕이라 기둥이 무게를 견뎌 낸 것 같으나 집이 조금 기운 듯하니 손을 본 후에 집에 들어가야겠다.” 라면서 나에게 동생들을 데리고 다시 이모 집에 가서 기다리라는 말을 덧붙였다.

이모 집으로 가는 것이 당장 급한 것이 아니고 메리를 찾아야 했으므로 미적거리고 있을 때였다.

아버지가 놀라서 소리를 쳤고 손가락으로 가리킨 마당 건너편의 도야네 집 아래채가 스르르 내려앉는 것이 보였다.

“물을 먹은 기와의 무게를 견디지 못해서 넘어가는 모양이다. 위험해서 안 되겠다. 우물대지 말고 이모 집으로 빨리 가라.”

아버지 말대로 기와집은 벽을 지탱하고 있던 흙들이 물에 휩쓸려 떨어져 나가버리고 난 뒤 남아 있었던 기둥 몇 개가 잔뜩 물을 머금은 기와의 무게를 위태위태하게 버텨내던 중이었는데 주위의 경미한 충격이나 좀 세게 불어오는 바람 때문에 그냥 무너져 내리고 있었던 것이었다.

도야네 아래채가 무너지는 것을 보고 놀라서 지른 소리를 들었든지 어디선가 나지막하게 개가 끙끙대는 소리가 들렸다.

메리의 신음임이 분명하다는 생각에 반가워서 두리번대며 찾아보았으나 소리가 나는 곳이 어디쯤인지 알 수가 없었다.

진흙투성이인 바닥에서 나는 소리는 아닌 것 같아서 고개를 들어 지붕

쪽을 쳐다보다가 벽장 속에서 고개를 디밀고 밖을 내다보는 메리를 발견하고는 깜짝 놀랐다.

그냥은 도저히 들어갈 수 없는 높이의 다락에 메리가 있는 것이었다.

불어나는 물의 높이에 따라 집 주위를 맴돌던 메리가 기력이 빠졌을 때쯤 마침 다락문이 열려 있는 것을 보게 되었을 것이고, 그렇게 들어간 다락에서 엎드려 있다 보니 물은 빠졌지만, 기력이 쇠잔해져 뛰어내리기 힘든 높이가 되어버려 어쩔 수 없이 주인이 돌아오기를 기다리고 있었을 것이라고 아버지는 추측하셨다.

아버지의 추측은 골목 건넛집의 젊은 내외가 지붕에 피신 해 있으면서 보았던 모습 그대로였다는 것을 나중에 알게 되었다.

메리도 찾았으니 꾸물대지 말고 빨리 이모 집으로 가라는 재촉에 더 머뭇거릴 수가 없었다.

어머니가 우리들을 이모 집에 데려주고 오겠다고 했으므로 나는 신작로로 가는 대신 운동장 너머 둑길로 돌아서 가겠다며 따로 떨어졌다.

운동장으로 들어서니 키 큰 소나무 너머 강 쪽에서 바람이 시원하게 불어왔다.

용하게 태풍을 피해 숨어 있다가 나온 고추잠자리가 세어 볼 마음도 먹어 보지 못할 만큼 많이 몰려 나와 생생한 모습으로 넓은 운동장 위 하늘가를 맴돌고 있는 모습은 보기만 해도 신기했다.

어제 아침에 봤던, 샘처럼 물이 솟아오르던 모습은 어디에도 보이지 않았고 관람석을 겸한 돌층계를 따라 흘러 내려와 쌓인 진흙 위에 작은 층계를 이루며 줄지어 내려앉은 모래 알갱이들이 햇빛에 반짝여 눈이 부실 지경이었다.

어른 키보다 훨씬 더 높은 곳까지 물에 잠겼던 흔적이 남아 있는 소나무들 사이를 빠져나와 둑 위로 올라섰다.

눈 아래 보이는 강물은 아직도 누르스름한 흙빛이었고 강변에는 상류에서 떠내려 온 온갖 잡동사니들이 어지럽게 늘려 있어서 발을 들여놓기가 주저될 정도였다.

소나무가 우거져 있는 솔밭으로 들어가 보니 높다란 소나무 가지마다 덤불 같은 것이 걸려있었고 누군가는 소나무에 올라가서 가지에 걸려있는 땅콩 줄기를 걷어내고 있기도 했다.

솔밭 속 여기저기를 어슬렁거리면서 뭔가를 찾아다니던 사람이 다리가 떠내려가고 없어졌다는 말을 했으므로 내 눈으로 직접 보고 싶은 생각에 솔밭을 지나 강물이 두 곳으로 나누어지는 곳까지 가보았다.

솔밭이 끝나는 곳의 둑과 강을 건너 역전 쪽에 있는 둑으로 놓여 있었던 시멘트 다리가 보이지 않았다.

상판은 떨어져 나갔고 강 중간쯤의 교각 하나는 반쯤 누워있는 모습이었다.

그 아래 신작로와 이어져 물이 말랐을 때는 일반 도로로 이용하던 돌가리(돌가루:시멘트) 장판이라고 불렀던 잠수 보도 흉측한 모습으로 바닥이 뒤집혀 있는 것이 보였다.

몇 군데 둘러본 우리 동네는 말 그대로 아수라장이었다.

물 구경으로 끝나지 않을 불행이 동네 구석구석에 떠내려 와 쌓여 있다는 걸 어슴푸레하게 느꼈고 그 느낌은 곧 현실이 되어 우리 집으로 먼저 다가왔다.

32. 사라 호의 여운

비가 오고 바람이 불었던 날은 사흘도 되지 않았지만, 그 여파는 엄청났고 오래 갔다.

그 시절에는 좀 산다고 하는 집이라도 은행에 저축 같은 건 잘 하지 않고 현금은 집안 깊숙한 곳에 보관하고 있는 집이 많을 때였다.

그러다 보니 졸지에 당한 물난리로 현금을 잃어버린 집이 많았을 것이고, 잃어버린 사람이 있으니 돈을 주운 사람도 있었을 것이었다.

소문이라서 확실한지는 모르겠으나, 운동장 입구에 있던 여관 주인이 큰돈을 주워 그 돈으로 대대적으로 여관을 수리하고 있다는 것이었다.

홍수로 피해를 봤으니까 거의 모든 집이 수리를 겸한 공사를 하고 있었는데 유독 그 여관이 입방아에 오른 것은 여관 주인이 물난리를 겪고 난 다음 날 여관 뒤란의 넘어진 판자 담을 일으켜 세우다가 담 너머 소나무 가지에 걸려 있던 보따리를 발견하고는 별생각 없이 보따리를 풀어 보았더니 한 번도 사용하지 않은 것 같은 빳빳한 고액권이 신문지에 돌돌 말려 다시 보자기로 꽁꽁 묶어 둔 돈다발이 들어 있었다는 것이었다.

여관 주인이 임자를 알 수 없는 그 돈으로 여관 공사를 하고 있다는 이야기였는데 사실 여부를 떠나서 그와 비슷한 소문이 많이 나돌고 있었다.

그런데 사실은 돈을 주운 사람보다 돈을 잃었거나 귀중한 물건들을 잃은 사람이 더 많았다.

우리 집의 경우만 해도 손실이 막대했다.

지붕만 남겨 놓고 물에 잠겨 버렸던 집안에는 쓸 만한 게 남아 있질 않았다.

공장이라고 해서 물이 비껴갈 리 만무했으니 완제품은 말할 것도 없거니와 공정 중에 있던 반제품과 재료들도 대부분 물에 쓸려갔거나 그나마 남아 있는 것은 제품들끼리 서로 부딪쳐 깨어졌거나 금이 가서 사용이 불가능했다.

아버지를 낙심하게 한 것은 또 있었다.

이태 전에 사 뒀던, 10년생 밤나무가 100여 그루도 넘었던 밤밭이 통째로 물에 휩쓸려 가버렸고 밭은 손을 쓸 수 없을 정도로 넓은 자갈밭으로 바뀌어버렸던 것이었다.

동네 이름도 밤밭[栗田]으로 정해졌을 만큼 밤나무가 많은 동네의 앞쪽에는 꽤 넓은 평야가 펼쳐져 있었고 뒤편으로는 높은 산 아래 강물이 흐르고 있었다.

강물을 멀리 떨어진 들 복판에 있는 양어장으로 흘려보내기 위한 도랑이 밤밭 앞을 지나고 있었다.

밤밭으로 들어가려면 도랑을 건너가야 했는데, 내가 갈 때마다 맑은 물이 찰랑찰랑 어른 두 팔 넓이 정도의 도랑 가득 넘칠 듯이 흐르고 있었고, 도랑 위에 놓여있는 섶다리에서 물이 흐르고 있는 아래를 내려다보면 잎이 무성한 밤나무의 그림자가 도랑에 드리워져 너울대고 있는 걸 볼 수 있었다.

다리 아래 도랑물에 물고기들이 노니는 것을 보고 온 지 한 달도 지나지 않았는데 섶다리는 물론, 밤나무도 뿌리째 뽑혀 흙탕물에 휩쓸려 떠내려 가버렸다는 것을 알았을 때 아버지 못지않게 나도 안타깝고 아까워서 태풍을 얼마나 원망했는지 모른다.

집안 곳곳에 쌓인 진흙을 씻어내는 일도 쉬운 것이 아니었다.
내려앉은 방구들도 고쳐야 했고 뼈대만 남은 벽도 새로 쌓아야 했다.
땔 나무는 말할 것도 없거니와 성냥 한 개비도 성한 것을 구하려면 읍내 시장까지 갔다 와야 했다.
깨지지 않은 간장독이며 된장독마다 황토물이 가득 차 있었으므로 반찬 한 가지도 제대로 해먹을 수 없다는 어머니의 한탄을 들으며 이모 집에 가서 간장 한 병을 얻어 오기도 했다.
전기가 끊어져 밤마다 촛불을 켜야 하는 것도 불편했다.
가족들이 당장 비집고 들어갈 집만 고친다고 해서 수해의 복구가 끝나는 것이 아님을 우리는 모르고 있었다.

요즘처럼 수해 의연금이니 뭐니 하는 도움은 없었던 것 같았다.
당장 가족들이 먹고살아야 할 양식을 구해야 했고, 사업을 하던 사람은 재기를 위한 발판을 마련해야 했다.
그러잖아도 수요가 줄어들어 판매가 여의치 않아서 공장을 운영하는 것이 힘에 겨웠던 아버지는 치명타를 얻어맞은 모양이었다.
읍장 관사 앞 극장 옆의 목재소라도 붙잡고 있었으면 수해 복구를 위한 목재의 수요가 늘어나서 재미를 볼 수 있었을 터인데 언제 처분했는지 모르게 목재소는 이미 남의 손에 넘어갔다는 것을 우리 식구들은 모르고 있었다.

아버지의 고민이 깊어지고 있었지만 철없는 나는 성큼 다가온 가을을 즐기고 있었다.

철조망 사이를 넓히고 들어간 수원지 참나무에는 풍뎅이 대신 도토리들이 조롱조롱 매달려 있었고 밤나무는 두어 번의 돌팔매질로 매달려 있던 밤송이들이 후드득 떨어졌다.

밤송이 가시에 손가락을 찔리기도 했지만, 아직 덜 여문 연둣빛의 풋밤들이 금방 주머니에 가득 찼다.

보늬는 앞니로 살짝 긁기만 해도 쉽게 벗겨져서 약간 떫은맛을 퉤퉤 뱉어내고 아작 깨 먹는 햇밤 맛은 구수했다.

홍수로 떠내려 와서 가라앉은 황토의 흔적이 남아 있긴 했으나 강물은 깨끗했다.

그러나 어느새 수영을 할 수 없을 정도로 강물은 차가워서 바지만 걷어 올리고 물고기를 쫓아다니는 것으로 만족해야 했다.

그렇게 여기저기를 기웃거리며 솔밭을 지나 용두목 쪽으로 가다 보니 머지않은 데서 요란한 기계 소리가 들려오고 있었다.

둑 위로 올라가서 소리가 나는 쪽을 내려다보니 갈라져 나온 강줄기는 끊겨 강바닥이 드러나 있었고 강바닥 중간에 있는 무너진 교각 사이에서 움직이고 있는 불도저가 보였다.

불도저는 상판이 무너져 내린 다리의 교각 주위의 웅덩이를 메우는 작업을 하는 중이었다.

불도저를 쉽게 가까이에서 구경할 기회가 자주 없었던 때였으므로 호기심이 생긴 나는 가까이 다가가서 불도저가 작업하는 걸 구경하기로 했다.

풍뎅이를 잡으러 다니다 보면 가끔 풍뎅이 무리에 섞여 머리를 처박고 있던 사슴벌레를 연상시키는 불도저는 크고 넓은 앞발로 근처 자갈을 밀어붙여 교각 주위의 웅덩이를 메우고 있었다.

엔진 소리도 우렁찼지만, 자갈을 밀어붙이며 내는 굉음도 엄청나서 보고 있는 나도 덩달아 힘이 솟아나는 것이었다.

한 걸음 한 걸음 가까이 작업 중인 불도저 곁으로 다가가서 메워지고 있는 웅덩이를 들여다봤다.

불도저가 뒤로 물러났다가 한 무더기의 자갈을 몰아서 웅덩이로 밀어 넣는 작업을 계속하는 걸 보고 있던 나는 놀라운 광경을 보게 되었다.

웅덩이에 자갈이 밀려들 때마다 물결이 일면서 크고 작은 물방울들이 튀어 오르고 있었는데 자세히 보니 그건 물방울만이 아니고 물고기들이 덩달아 튀어 오르고 있었던 것이었다.

언제부터 웅덩이를 메우는 작업을 했는지 알 수가 없었지만 내가 보고 있는 사이에 웅덩이는 거의 다 메워져 가고 있었고 달리 도망갈 곳이 없어진 고기들은 자갈이 밀려들 때마다 살 곳을 찾느라고 법석을 치고 있었던 것이었다.

높은 운전석에 앉아 운전만 하며 웅덩이 메우기에만 정신이 팔려있었던 기사 아저씨는 미처 그 광경을 보지 못하여 고기들이 튀어 오르는 것은 모르고 있었다.

불도저가 다시 자갈을 모으려 웅덩이에서 떨어져 나가는 것을 보고 나는 손을 흔들며 기사 아저씨에게 잠깐 운전을 멈추어 달라고 소리를 쳤다.

엔진 소리가 시끄러워서 내가 소리치는 것을 듣지 못한 기사 아저씨는 다시 자갈을 밀고 오다가 손을 흔드는 나를 발견한 모양이었다.

불도저의 엔진은 끄지 않은 채 아저씨가 소리쳤다.

"이놈아! 위험한데 여기서 뭘 하는 거냐? 저리 비켜라!"

아저씨의 고함에 나는 손짓으로 웅덩이를 가리키며 큰소리로 대답했다.

"아저씨, 저 밑의 웅덩이에 고기가 천지 삐까립니다. 내려와서 한번 보이소"

"뭐라고? 고기가 천지삐까리라고?"

내 말을 알아들은 아저씨는 운전을 멈추고 불도저에서 뛰어 내려 와 웅덩이 쪽으로 가 보는 것이었다.

나도 아저씨를 따라 웅덩이 쪽으로 내려섰다.

물 반, 고기 반이라는 말로 고기가 많다고 허풍을 떨며 표현을 하는 것을 들은 적은 있었지만 실제로 물 반, 고기 반을 보기는 처음 이었다. 아니 어쩌면 물보다 고기가 더 많을지도 몰랐다.

피라미, 모래무지 따위 이름을 아는 것들이 눈에 띄었다.

잉어처럼 큰 놈들은 등지느러미가 물에 잠기지도 않은 채 퍼덕였고 어떤 놈은 옆으로 누워서 가쁜 숨을 몰아쉬고 있기도 했다.

아저씨와 나는 고기를 잡을 엄두도 내지 못하고 그저 바글대는 고기들을 구경만 하고 있었다.

"퍼 담을 그릇이 있어야 고기를 잡든지 하지……"

아저씨의 중얼대는 소리를 듣자 나도 그 생각을 하고 있었음을 깨달았다.

"아저씨. 집에 빨리 가서 그릇을 가져올 테니 그때까지 웅덩이를 메꾸지 마이소."

"몇 분 만에 갔다 올 수 있나? 도자를 오래 세워 두면 안 되는데……"

"퍼뜩 갔다 올게요."

나는 아저씨가 담배를 꺼내 입에 무는 것을 보고 쏜살같이 집으로 향해 내 달렸다.

솔밭을 겨우 빠져나와 운동장에 들어섰을 때는 숨이 차서 더 이상 달릴 수가 없을 지경이었지만 멈출 수가 없었다.

담배를 다 피운 아저씨가 작업을 시작해 버려서 고기를 한 마리도 잡을 수가 없을까 봐 조바심이 나서 잠시라도 쉬면서 숨을 돌릴 여유가 없었다.

헐레벌떡 집으로 뛰어 들어서는 나를 보고 어머니가 의아한 표정을 지으며 물었다.

"누가 쫓아오나? 왜 그렇게 허둥대냐?"

"소쿠리나 대야 같은 거, 뭐 큰 그릇 두 개만 주세요. 고기를 퍼 담을 거로."

"고기라고? 안 그래도 집안에 물귀신이 나올 것 같아 뒤숭숭해서 죽을 지경인데 고기는 무슨 고기고?"

“다리 무너진 데서 불도저가……”

“얘가? 다리 무너진 데에 뭐가 있다고? 불도전지 불도꾼지, 쓸데없는 소리 그만하고 청소나 거들어라.”

“아저씨가 기다린다 말이에요. 빨리 가야 해요.”

“제발, 내가 사정할 게, 네 아버지 정신 나간 사람처럼 얼이 빠져 저러고 있는데 장남인 너라도 좀 도와줘야지, 어쩌겠나? 그리고 고기는 더 잡아 오지 마라. 애보다 배꼽이 크다고, 비린내 나는 그거 몇 마리 먹으려다 양념이 씨가 마르겠다.”

완강하게 고기를 잡아 오지 말라는 어머니의 말을 어길 수는 없었다.

눈치로 짐작해보니 이번에도 어머니 말을 거역했다가는 정말 크게 혼이 날 것 같았다.

귓가에 불도저의 엔진 소리가 윙윙대고 파닥대는 고기들의 모습이 눈앞에서 어른거렸지만 뭘 어떻게 해 볼 방법이 없어진 나는 물기가 덜 마른 마루에 걸터앉아 맥없이 하늘만 올려다보고 있었다.

불도저가 메우던 교각 밑 웅덩이에서 우글대던 고기를 퍼 담을 뻔했던 게 둑 너머 솔밭 강에서 본 마지막 고기였을 뿐 아니라 더는 솔밭 강에 놀러 가는 일도 없게 되었다.

사라 호 태풍의 피해로 아버지는 공장 운영을 할 수 없게 되었고, 국민학교 졸업식과 중학교 입학식도 치르지 못한 나만 남겨두고 우리 식구들이 고향을 떠나는 원인이 되었다.

제2부

외가동네

33. 외가동네 풍경

초등학교 입학 전에는 외가에 가는 게 쉽지 않아 자주 가지 않았다.

혼자서는 외가에 갈 수 없었고, 가봤자 할 일이 없기도 했다.

결혼하지 않은 이모와 그 밑으로 두 명의 외삼촌이 있었지만, 나보다 여섯 살 많은 막내 외삼촌은 나와 잘 놀아주지 않았으므로 외가에 가는 것이 달갑지 않았다

그러다, 내가 초등학교에 입학하던 해에 집 근처에 있는 중학교에 막내 외삼촌이 입학하고 난 뒤부터 사정이 달라졌다,

같은 중학교를 졸업한 후 고등학교로 진학한 큰 외삼촌은 우리 집에 들르는 횟수가 많지 않아서 자주 볼 기회가 없기도 했지만, 나이 차이도 많아서 친해지기가 어려웠는데 막내 외삼촌은 토요일 하굣길에 우리 집에 종종 들렀으므로 금방 낯이 익어버린 나는 막내 외삼촌을 따르게 되었다. 더구나 중학생이라고 믿기 어려울 정도로 체구가 작은 막내 외삼촌이 친구처럼 만만하기도 해서 심한 장난도 곧잘 쳤다.

그런 막내 외삼촌을 따라 토요일이면 외가로 가는 날이 잦아졌다.

전기도 들어오지 않는 시골이라 어두워지면 잠자리에 들어야 했고, 낮이라고 해서 같이 놀아줄 친구가 있는 것도 아니었다.

우리 집에서는 나와 잘 놀아줬던 작은 외삼촌은 또래 친구들과 어울리느라 나와 놀아주지도 않아 심심하고 따분해서 다음엔 절대 외가에 오지 않을 거라 마음먹은 게 한두 번이 아니었으면서도 돌아오는 토요일이면 막내 외삼촌을 기다렸다가 따라나서길 좋아했다.

관심 가질 거라곤 아무것도 없는 줄 알았던 시골 풍경과 수줍음 많은 동네 아이들과 서서히 친해졌던 것이었다.

하늘 높이 떠 있는 종달새를 쫓으며 보리가 익어가는 들길을 쏘다니는 것도 좋았고, 보리타작 마당에서 얻어먹는 막국수의 맛에 빠져들었는가 하면, 논으로 흘러 들어가는 봇도랑의 얕은 수초 사이를 헤집고 다니는 새끼 붕어를 잡는 재미며, 모심기하는 논에서 못줄을 잡거나 가까운 양조장에 심부름 다니며 논에서 논으로 흘러드는 도랑물에 찰랑대며 노는 눈챙이를 쫓는 것도 재미있었다.

이마에 송골송골 맺힌 땀을 닦으며 물레방앗간 개울의 징검다리에 걸터앉아 물장구를 치다 뜸부기 소리를 들을 때면, 돌아오는 가을에 제 살던 곳으로 다시 가버릴 뜸부기의 고향이 어떤 나라일지 한번 가보고 싶다는 얼토당토않은 호기심을 키우기도 했다.

소 먹이러 가서 동네 애들과 술래잡기하다 지치면 물에 뛰어들어 물고기도 잡고 개헤엄을 배우는 재미에 빠져들기도 했다.

어렸을 적이었으니까 놀고먹는 거 외엔 할 일이 없었기도 했겠지만, 추억으로 남아있는 건 소소하고 보잘것없는 것들뿐이다.

그렇긴 해도 고향을 그리는 감성을 톡톡히 자극하여 옹기종기 모여 있는 30여 가구로 이어져 있는 고샅길이며 허름한 삽짝 따위의 모습은 아직도 생생히 떠올릴 수 있다.

당연히 소 먹이러 가던 둑길이며 양어장 아래 수로, 깨밭 너머 듬성듬성 파여 있던 웅덩이를 지나 족제비 비탈 아래의 강줄기에서 멱 감고 놀거나 고기를 잡던 일도 눈에 선하다.

34. 외가동네 구멍가게

모 신문의 주말 섹션 기사 중에 구멍가게 이야기가 실려 있었다.

펜으로 섬세하게 그린 구멍가게 그림은 은은한 색채며 구도가 감성을 자극하여 들여다보고 있노라면 펜 자국마다 그리움이 돋아나면서 어느새 어린 시절에 가봤던 구멍가게를 떠올리게 하여 향수를 불러일으키더니, 느닷없이 아름다움과는 전혀 상관없는 꾀죄죄하고 때에 전 외가 동네의 구멍가게가 끼어들었다.

읍내에서 이십 리쯤 떨어진 외가 동네를 지나 첩첩산중, 아주 깊은 산골로 가는 버스가 하루에 네댓 번 왕래하고 있었지만, 외가 동네 사람들은 좀처럼 버스를 타고 읍내로 내왕하는 것 같지가 않았다.

나 역시, 추운 겨울철이거나, 혼자서 외가를 가고 올 때 가끔 버스를 이용하기도 했지만, 짜증이 나서 버스를 탄 걸 후회할 때가 많았다.

외가로 갈 때는 출발지에서 탔으므로 일찌감치 자리를 잡으면 느긋함을 즐기기도 했으나, 손님을 가득 태운 버스는 출발한 지 이십 분도 되지 않아 외가 동네에 다다랐으므로 내려 달라고 소리치며 사람들 사이를 헤집고 내리는 것도 쉽지 않았다.

나를 내려놓은 버스는 빈 비포장도로 가득 흙먼지만 남겨둔 채 가버리고 나면, 떠돌던 먼지가 잎 떨어진 앙상한 미루나무 가지 위나 도로에 내려앉을 때까지 손을 휘저으며 쿨룩쿨룩 기침을 토해내야 했다.

외가에서 읍내로 가는 버스를 탈 때는 더 심란했다.

버스 정류소 앞에는 매표소를 겸한 구멍가게가 있었지만, 한 번도 가게 문이 열려 있는 걸 본 적이 없었다.

구멍가게 진열대 앞의 녹슨 철망의 반은 먼지가 쌓여 있었고, 철망 너머 어쩌다 얼굴을 내비치는 주인 할머니는 내가 아장아장 걸음마를 할 때 봤던 그 모습으로 몇 년째 가게를 지키고 있었다.

구멍가게 반 이상 닫아건 덧문 위에 버스 운행 시각표라고 붙여 놓은 안내판의 글씨는 색이 바랬고, 누런 흙탕물까지 뒤집어쓴 채 말라붙어 있었으므로, 그것이 운행 시각표라고 알아차리는 게 신기할 정도였다.

버스 정류소 팻말이 붙어있는 나이 먹은 미루나무 둥치에 뚫린 커다란 구멍으로 찬바람이 돌아 나오고, 신작로 건너 멀리 물레방앗간 못 가서 만월 터 쪽에서 얼어붙은 논바닥을 헤매던 물오리 떼가 날아 오르내리기를 몇 번이나 반복하고 있었지만, 버스는 나타나지 않았다.

걸어갔더라면 집에 다 갔을 만큼의 시간을 괜히 찬바람을 맞으며 신작로 바닥에서 허비한 게 억울해서 조금만 더 기다려보자고 마음을 달래고 있을 때쯤 멀리 산모퉁이를 끼고 있는 신작로에 먼지를 날리며 버스가 오는 것이 보였다.

버스를 타면 추위가 가셔질 거라는 기대를 하며 스무 남은 발짝 앞으로 다가온 버스를 향해 세워 달라는 신호로 손을 들었다.

그러나 내 기대와 달리 버스는 멈추지 않고, 뿌연 먼지만 신작로 가득 뿌려두고는 휑하니 내 앞을 스쳐 지나가 버렸다.

새로 생긴 먼지 너머 버스 유리창에 눌러앉은 먼지로 시야가 흐리긴 했지만, 버스 안에는 사람들이 가득 타고 있는 것이 보였다.

사람들이 많이 타서 비좁아도 그렇지, 조그만 체구의 나 하나 정도야 어떻게든 비비고 들어갈 여유가 있었을 터인데, 아예 세워보지도 않고 그냥 지나친 버스와 그 버스를 운전하는 기사가 원망스러워서 눈물이 나올 지경이었지만, 이미 가버린 버스는 보이지도 않았고 먼지도 가라앉은 빈 신작로에는 나 혼자 우두커니 추위에 몸을 웅크리고 있어야 했다.

이런 허망한 꼴을 당하고 나면, 다시는 외가에 오지 않을 거라 속으로 다짐을 하지만, 그 결심은 일주일을 넘기지 못하고 다시 외가에 가고 싶어 안달하곤 했다.

그날도 기다리던 버스가 그냥 지나가 버려 짜증도 나고 허탈하여 걸어갈지 말지 망설이고 있었다.

혼자 이십 리 길을 걸어갈 생각을 하니 한숨이 절로 나왔다.

바보같이 뒤늦게 걸어갈 생각을 한 자신을 탓하다보니, 여태 기다린 시간이 억울해서 조금 더 참고 기다렸다가 버스를 타는 것이 나을 것이라는 유혹을 떨치지 못하고 있었다.

운행 시각표를 보고 버스가 올 시각을 안다고 해도 시간을 알 수 없는 내게 아무 도움이 될 리 없었지만, 어쨌든 다음 버스가 언제 올지 궁금했다.

구멍가게 나무문짝에 붙어있는 노선 시각표는 볼 필요도 없다는 걸 알고 있었으므로, 다른 안내문 같은 게 있을까 하여 유리문 대신 철망으로 막아 놓은 가게의 안쪽을 들어다봤으나, 불을 켜지 않은 가게 안은 어두워서 아무것도 보이지 않았다.

혹시나 하고 한참을 들어다 보고 있자니 어둠에 익은 눈에 허름한 진열대가 보였고, 진열대 위의 유리병에 사탕 같은 것이 들어 있는 것도 보였다.

버스표 값으로 사탕을 사서 녹여 먹으며 걸어가는 게 낫지 않을까 하는 생각을 떨쳐내지 못하고 토담 끄트머리에 열려있는 허름한 삽짝을 지나 마당으로 들어섰다

잔뜩 웅크리고 종종거리는 내 모습을 보고 마당에서 모이를 찾고 있던 암탉 몇 마리는 뒤란으로 도망을 갔고, 수탁 한 마리만 고개를 빳빳이 세우고 나를 거만하게 노려보고 있었다,

수탁의 눈초리에 주눅이 들어 슬그머니 고개를 돌려 시선을 피한 다음, 마루 앞으로 다가가서 큰 소리로 주인을 불렀다

“할머니, 사탕 사러 왔어요.”

내가 부르는 소리를 듣지 못했는지 아무도 내다보는 사람이 없었다.

먼지가 보얗게 내려앉은 쪽마루 위에는 닭 발자국이 어지럽게 찍혀있었고, 마루 건너 방문을 향해 다시 소리를 질렀지만, 이번에도 반응이 없었다.

주위를 둘러보았으니 거만하던 수탁도 보이지 않았고, 뒤란을 돌아 나온 돌개바람에 지푸라기 따위가 몇 바퀴 맴을 돌더니 이내 가라앉았다.

바람마저 잦아든 집안이 너무 조용하다는 느낌이 들자 더럭 겁이 나서 축담 밑으로 내려서려는데 방문이 덜컹 열리면서 이내 쪽 진 머리를 한 할머니의 모습이 보였다.

머리도 하얗고 주름이 쪼글쪼글한 얼굴로 봐서는 외할머니보다 훨씬 나이가 많을 것 같았다.

할머니는 밖으로 나오지도 않고 쉰 목소리로 말했다.

“뭘 산다고? 네가 가서 꺼내 오렴. 어두워서 잘 안 보이면 호롱불을 켜든 지”

할머니의 말을 들으며 빤히 할머니를 바라보았으나 할머니는 그냥 성냥통만 내밀었다

할머니가 말했듯이 가게 안은 컴컴하여 성냥불로 호롱불을 켠 다음 두리번거리며 불빛에 비친 가게 안을 둘러보았다.

어른거리는 불빛 아래 먼지가 보얗게 앉은 진열대가 보였고, 몇 개 놓여있는 유리병 위에도 잔뜩 먼지가 끼어있었다. 그중 한 개의 유리병은 흐릿하나마 속에 사탕이 들어 있는 것을 알아볼 수 있었다.

나는 사탕이 들어 있는 유리병을 가까이 옮겨 놓은 후 뚜껑에 내려앉은 먼지를 손바닥으로 훑어 내고 남은 먼지는 입김으로 불어 날렸다.

흙먼지임을 알려주듯 누리끼리한 색의 먼지가 어둠 속으로 떨어지기도 하고 천정으로 날아오르기도 했다.

먼지기 날아오르는 천장 곳곳에 때가 낀 거미줄이 엉켜 있는 것이 보였다.

버스표 값으로 살 수 있는 사탕의 개수를 알 수 없어 그냥 손에 집히는 대로 몇 알의 사탕을 끄집어낸 후 호롱불을 입으로 불어 껐다.

가게 밖에 나와 손바닥을 펼쳐 보니 빨갛고 파란, 그리고 노란색의 줄

무늬가 그어져 있는 4알의 사탕이 햇볕 아래 모습을 드러내었다.
"할머니, 사탕 네 개 꺼냈습니다. 얼마예요?"
나는 쪽마루에 성냥갑을 내려놓으며 말했다.
방문을 배꼼 열어둔 채 내가 나오기를 기다리던 가게 할머니가 물었다.
"눈이 침침해서 사람을 봐도 누가 누군지 모른다. 누구 집 아들이냐?"
"지동 댁 외손잡니다. 읍내에 사는 지동 댁 큰딸......."
"지동 댁 손자라고? 그러고 보니 그 집 어른하고 닮은 것 같네. 사탕 값은 안 받을란다. 미영(무명) 밭도 갈아 주고, 내가 신세 진 게 한두 가지라야지......"
사탕을 그냥 주겠다는 말이 미심쩍어 머뭇거리자 할머니가 말을 이었다.
"대신, 사탕 그냥 주더라는 말은 꼭 해다오."

할머니에게 고맙다는 말 대신 머리만 두어 번 숙이고는 얼른 삽짝을 빠져나온 나는 사탕 한 알을 입에 털어 넣으며 잠시 고민했다.
'사탕값을 주지 않아 버스비는 남아 있으니 좀 기다렸다가 버스를 타고 가는 것이 좋겠다'고 생각을 고쳐먹었다.
어쩌면 이번에 오는 버스가 막차일 지도 모른다는 생각이 들었으므로 버스 오는 것이 보이기만 하면 신작로 복판으로 나가서 손을 들어야겠다고 마음을 먹었다.
그래도 버스를 못 탄다면 외가로 돌아가서 내일 새벽에 등교하는 외삼촌을 따라나서는 방법도 있다고 생각하니 마음이 조금 놓였다.

35. 가물치 낚시

폐 양어장은 둑 너머 외가의 수박밭 가는 길목에 있었다.

외가 동네 어른들의 말에 의하면 일제 강점기에 일본인이 관리하다가, 전쟁에 패하여 관리인이 쫓겨 가다시피 제 나라로 돌아가 버린 후, 관리자가 없는 양어장이 돼버렸다고 했다.

외가 동네 근처는 넓지는 않았지만, 인근에 3~40호씩 모여 있는 서너 군데의 동네 사람들이 농사를 지어 먹고 살 만큼의 논과 밭이 있는 들판이 펼쳐져 있었다.

동쪽 멀리 깊은 산골짜기에서 흘러온 강물이 외가 동네 앞에서 방향을 바꾸었고, 남쪽으로 연이은 산줄기 아래로 굽이쳐 흘러간 강물은 몇 개의 마을과 들판을 지난 후 마침내 큰 강인 낙동강과 합쳐졌다. 그 강이 방향을 바꾸기 전에 줄기가 뻗어난 듯 보통의 봇도랑보다는 넓은, 시내 비슷한 넓이의 물줄기가 들판 한쪽에 있는 양어장으로 흘러들어 왔다.

외가의 논과 밭은 여기저기 몇 곳에 산재해 있었는데, 양어장 근처에만 해도, 양어장을 끼고 동네 쪽으로 닷 마지기짜리 논이 있었고, 그 너머 강물이 양어장 입구로 흘러들어 오는 여울꼬리 근처에는 주로 수박밭으로 사용하던 넓은 밭도 있었다.

바람이 빠져 약간 삐딱한 모양의 고무풍선 같은 모양을 한 양어장은 축구장 세배보다 더 넓은듯했다.

풍선에 바람을 불어 넣는 꼭지에 해당하는 부분이 강물이 흘러들어 오는 여울꼬리에 해당한다면, 풍선의 맨 위에 있는 젖꼭지를 닮은 부분은 양어장의 물이 빠져나가는 곳에 해당했는데 물줄기는 두 갈래로 나누어져 하류로 빠져나가고 있었다.

한 갈래는 둑 밑의 지하 수로를 거친 후 양쪽에 둑으로 막혀 있는 수로를 따라 훨씬 아래쪽에 있는 물레방앗간 쪽으로 흘러갔고, 또 한 갈래 물은 '깨밭 너머'라고 불렀던 둑 너머, 강에 못미처 펼쳐져 있는 강변 쪽의 낮은 지역을 꾸불대며 흐르다가 끝내 방앗간을 빠져나온 물과 합쳐져서는 다시 본래의 큰 강으로 흘러 들어가고 있었다.

원래 양어장에서 키우던 고기가 터를 잡아 새끼를 치면서 남아있기도 했겠지만, 강에서 흘러들어오고 흘러나가는 물줄기를 따라 강에서 살고 있던 고기들이 수시로 드나들기도 했을 것이므로 양어장에는 고기가 숱하게 많았다.

그날은 수박밭에 거름을 내러 가시는 외할아버지를 따라갔던 날이었다.

물길이 얕을 때는 바지를 걷어 올리고 여울꼬리를 건너 수박밭으로 가기도 했었는데, 지난밤에 내린 비로 물이 불어 있었고 물살이 거셌다

여울을 건너가던 나는 엄청나게 많은 고기가 물살을 헤치며 강 쪽을 향해 떼를 지어 이동하고 있는 것을 보게 되었다.

생전 처음 보는 광경에 놀라서 입을 다물지 못하는 내게 외할아버지께서 말씀하셨다.

"이맘때쯤이면 초봄에 알을 낳은 피라미들이 배가 고파서 그런지 많이 몰려나와 돌아다니더라. 새끼 메뚜기를 미끼로 삼아 밀대 낚시를 하면 잘 잡힐 거다. 점심 먹으러 집에 가면 낚시 준비를 하고 오너라."

신이 난 나는 점심시간까지 기다릴 마음의 여유가 없었고, 뛰다시피 외

갓집으로 달려가서 낚시 준비를 하고 다시 양어장으로 돌아왔다.

외할아버지께서 일러주신 새끼 메뚜기는 쌔고 쐈다.

몸통은 다 자란 것 같았지만 날개가 반도 자라지 않아 푸르스름한 러닝셔츠를 허리께까지 내려 입은 것 같이 어중간한 모양을 한 메뚜기들이 애벌 논매기가 끝난 벼 포기마다 매달려 있었다.

급하게 가져온 낚시에 매단 바늘은 외할머니께서 장날 사 오신 갈치를 다듬다 갈치 아가미에서 찾아 떼 내어 모아두신 갈치 낚싯바늘이었다.

엄지손가락 정도로 큰 낚싯바늘은 새끼 메뚜기보다 더 컸으므로 바늘에 메뚜기를 꿰고 나서 보니 바늘이 반 이상 남아 있을 정도였다. 그러거나 말거나 나는 빨리 고기를 낚고 싶은 욕심에 바늘이 훤히 보이는 미끼를 여울에 던졌다.

물결 따라 팬츠도 입지 않은 새끼 메뚜기가 물 위에 동동 떠 있었지만, 물속의 고기들은 눈치가 백 단도 더 되는지 한 놈도 메뚜기 맛을 보겠다고 덤비는 놈이 없었다.

미끼가 마음에 들지 않아서 그러는 줄 알고 애꿎은 새끼 메뚜기만 몇 번이나 바꿔 끼어 봤지만, 고기들은 애초부터 속을 생각이 없었던지 거들떠보지도 않았다.

시간이 지날수록 화가 나고 짜증이 났다,

눈앞에 고기가 안 보였다면, 고기가 없어서 입질도 없는 모양이라고 포기하고 말겠는데, 이건, 미끼 근처에서 떼 지어 알짱거리는 고기를 번연히 보면서도 입질 한번 받지 못하고 보니 정말 자존심이 상했다.

어느새 해는 중천에 머물러 있었고 근처 논배미에서 햇발을 받은 벼 포기들이 내뿜는 더운 김은 가뜩이나 열이 올라 있는 내 심사를 더 짜증이

나게 했다.

처음부터 외할아버지는 내가 하는 짓에는 아예 관심도 없었던 듯 거름 주는 일에만 열심이었으므로 내가 하는 낚시질이 잘못된 것인지 물어 볼 수도 없었다.

별수 없이 나는 낚시질을 그만둘 수밖에 없었다.

낚싯대를 여울 옆의 밭두렁 위에 던져두고 일부러 어슬렁거리면서 외할아버지 곁으로 다가갔다.

관심이 없는 척하셨던 외할아버지가 내게 물었다.

"몇 마리나 잡았나?"

나는 아무 말도 하지 않고 밭고랑에 발을 비비고 그냥 서 있었다.

"고기가 안 물 더나? 고기가 천지삐까리더만, 모두 눈이 삐였나?

외할아버지께서는 처음부터 내가 고기를 한 마리도 못 낚을 것을 알고 계셨던 모양이었다.

"낚싯바늘이 고기보다 더 크니까 고기가 놀라서 안무는 거 같습니다."

"갈치 바늘로 피라미를 낚으려고 했더나? 도장 안에 작은 낚싯바늘이 있는 걸 몰랐던 모양이구나."

할아버지의 말씀이 막 끝났을 때쯤 양어장 건너편, 물이 좀 얕은 데다 붕어마름 따위의 수초가 많이 자라고 있는 곳에서 황새 한 마리가 후드득 날아올랐고 뒤이어 양어장 복판을 향해 물살을 가르며 물고기 한 마리가 쏜살같이 달려오는 것이 보였다.

그 광경을 놀랜 표정으로 보고 있는 내게 외할아버지께서 말씀하셨다.

"가물친 모양이다. 피라미 낚시 집어치우고 가물치 낚시 한번 해 볼래?"

외할아버지의 말씀에 금방 생기가 돌아왔고 가물치를 낚기 위한 준비를 서둘렀다.

외할아버지께서 일러 주신 가물치 낚시는 아주 간단했다.

외할아버지께서 꼼꼼하게 챙겨 놓으신 비료 포대 실을 서너 발 정도 길이로 끊어서 그 끝에 큼지막한 갈치 낚시를 매달았고, 다른 한쪽 끝에는 지게 작대기 정도의 굵기에 반 팔 정도 길이의 막대기를 묶으면 되었다. 그런 걸 스무 개 정도 준비한 다음 다시 양어장으로 나간 나는 이번에는 새끼 개구리를 잡기 시작했다.

가물치 낚시의 미끼로는 살아 있는 미꾸라지나 새끼 개구리가 제일 좋다고 했다.

당장 미꾸라지는 구할 수가 없었고, 운수 사납게 내게 붙잡힌 새끼 개구리의 항문에다 갈치 낚시를 끼워 넣은 다음, 풀쩍, 양어장의 물밑에서 물 위로 고개를 내밀고 있는 수초 사이에 던져 놓았다.

비료 포대 실은 실이라기보다 끈에 가까울 만치 굵었고 어른들도 연장 없이는 끊을 수가 없을 만치 질겼다. 그 실의 한쪽 끝을 묶은 막대기를 양어장 둑 위에다 깊이 박아서 고정해 놓기만 하면 낚시 준비는 끝이 났다.

나는 양어장 둘레를 따라 돌면서 적당한 간격으로 스무 개나 되는 가물치 낚시를 설치했다.

항문에 낚싯바늘이 끼인 새끼 개구리가 고통으로 꼼지락대면 수면 아래 엎드려 있던 가물치가 보고 달려와서 덥석 집어삼킨다고 했으니, 그때를 기다리며 어슬렁어슬렁 돌아다니면서 혹시나 미끼인 새끼 개구리가 죽지나 않았는지 살펴보기만 하면 되는 것이었다.

비가 내렸던 어제와는 달리 날씨는 화창했고 쏟아져 내리는 햇빛으로 양어장 수면은 반짝이고 있었다.

종달새 한 마리가 구름 한 점 없는 높다란 하늘에 붙잡힌 듯 떠 있었을 뿐 주위가 너무 조용하여 겁이 다 날 지경이었다.

적막을 깨고 둑 너머 어느 논에선가에서 뜸부기가 울기 시작했고, 대답이라도 하듯 등 뒤 강 건너 족제비 비탈 쪽에서는 꿩 우는 소리도 들려왔다.

시간은 지루하게 흘러갔고 진득하게 기다리지 못하고 조급한 마음에 양어장을 세 바퀴나 돌면서 혹시나 가물치가 낚였을까 하고 살폈으나, 가물치는 코빼기도 구경할 수가 없었다.

맥이 빠져서 지독하게 운수가 사나운 날이라고 투덜대기만 했을 뿐 아무것도 할 수 있는 것이 없었다.

흔해 빠진 피라미도 안 잡히더니 코빼기도 안 비치는 가물치를 낚겠다고 몇 시간을 허비하고 말았으니 이래저래 재수 옴 붙은 날이었다.

36. 민물새우

어제와 그저께 이틀간은 생각할수록 시간만 허비한 게 억울하고 화가 났다.

피라미 낚시는 준비 부족으로 일을 그르쳤다고 하더라도 가물치 낚시만큼은 잘될 줄 알았는데 미끼인 개구리를 바꿔 끼어가며 이틀이나 낚시를 던져두었건만 미끼를 문 놈이 한 마리도 없다는 게 이해가 되지 않았다.

가물치가 낚였나 하고 양어장 둘레를 스무 바퀴도 더 돌아봤으나 허사였다.

나 모르게 다른 누군가가 양어장 근처를 지나가다가 낚시에 걸린 가물치가 날뛰는 걸 보고 얼씨구나 하고 빼내어 갔을지도 모른다는 의심이 들 정도로 낚시에 걸린 가물치가 한 마리도 없다는 게 믿어지지 않았다.

약이 올랐지만, 누가 시켜서 한 짓이 아니니 화 풀 곳이 없었다.

맥이 빠졌지만, 이왕 설치해 둔 낚시는 걷어내지 않고 그냥 두기로 했다.

심심할 때마다 들러서 확인해 보고 미끼만 갈아 끼어 다시 던져두면 언젠가는 한두 마리 걸려들 것이라고 느긋하게 생각하기로 마음을 달래고 나니 기분이 좀 풀리는 것 같았다.

잠깐 쉬어 갈 생각으로 흔적만 남은 관리인의 집터 근처 돌무더기에 걸터앉았다.

물이 얕은 곳의 수초 사이에 외발로 서 있던 백로 한 마리가 먹이를 찾는지 고개를 갸우뚱거리다가 나와 눈이 마주치자 대번에 숨겼던 발을 내리고 자세를 낮추어 경계태세를 취하는 바람에 내가 먼저 고개를 돌렸다.

가끔 부는 바람 따라 물살이 잔잔히 부서지며 햇발도 따라 일렁이는 양어장의 중심부와 달리 애기부들 따위가 자라고 있는 곳에는 수초들 사이로 손바닥보다 큰 붕어가 들락거리고 있었고, 개구리밥이 동동 떠 있는 물이 얕은 가장자리에는 알에서 깨어난 지 얼마 되지 않은 새끼 고기들이 떼로 몰려다니는 것도 볼 수 있었다.

고기들 노는 모습을 보니 소쿠리로 수초 사이에 숨어있는 고기를 떠서 잡는 방법이 생각났다.

작년 언젠가 고기 대신 물뱀이 혀를 날름대며 소쿠리에 담겨 올라왔던 적이 있어서 소름이 끼치고 몸이 떨려 한동안 양어장 아래 수로 쪽에는 얼씬도 하지 않았던 기억이 떠올랐다.

질겁해서 소쿠리를 팽개치고 물 밖으로 뛰어나와 물뱀이 도망가기를 기다리는 동안 가슴 졸이며 다시는 소쿠리로 고기 잡는 짓은 하지 않을 거라 마음먹었던 걸 까먹고 다시 소쿠리로 고기를 잡을 생각을 하다니, 쑥스럽긴 했지만 오래전 일인 데다 아무도 모르는 일이기도 할뿐더러 아직 뱀이 나올 시기는 아닐 것이라는 믿음도 생겼다.

그리고 무자수(물뱀, 무자치)한테 물려도 아프지 않고 독도 없으니 겁내지 말라던 친구의 말이 생각나서 용기가 생기기도 했다.

마음먹은 김에 시간 끌 거 없이 바로 외가로 와서 외할머니 몰래 소쿠리와 고기를 담을 어레미를 챙겨 나왔다.

고기 잡으러 가져갔던 소쿠리나 어레미가 상하기라도 하면 외할머니에게 혼이 날 수도 있었으므로 외할머니의 입막음을 위해 외할머니가 좋아하시는 민물새우를 잡는 것이 나을 것 같아서 물레방앗간으로 흐르는 수로 쪽으로 먼저 갔다.

양쪽으로 둑에 막혀 있는 수로 복판에는 나사말 따위가 흐르는 물결 따라 꼬리를 흔들고 있었고, 둑 가장자리에는 연녹색이거나 가무파리하거나 혹은 진한 갈매색의 이름 모르는 수초가 무리 지어 자라고 있었다.

보나마나 그러한 수초 사이엔 자잘한 민물새우나 붕어 새끼 따위가 숨어 있을 터였고 소쿠리로 떠서 잡으면 민물새우 따위 한 사발 정도 잡아내는 것은 일도 아닐 게 분명했다.

허벅지까지 바지를 걷어 올린 나는 조심스럽게 수로로 들어섰다.

물이 흐르는 반대 방향으로 수로의 둑에 바짝 붙여 양팔을 뻗을 수 있는 데까지 먼 곳의 바닥에 소쿠리를 갖다 댄 후, 양발로 자근자근 빠르게 수초를 훑어 밟으며 소쿠리를 대어 둔 쪽으로 물길을 몰고 갔다.

흙탕물이 생겨났고, 수초 나부랭이 따위가 소쿠리 속으로 휩쓸려 들어가는 것을 보고 난 후, 나는 얼른 소쿠리를 물속에서 꺼내 들어 올렸다.

소쿠리 속의 물이 빠져 나가자 수초 떨기 사이에서 포닥포닥대는 민물새우들이 보였다.

새끼 붕어도 몇 마리 금빛 뱃대지를 들어내고 파닥거리며 입을 뻐끔거리고 있었다.

나는 새끼 붕어들은 수로에 놓아주고 민물 새우만 어레미에 담은 후 그 위에다 수초를 듬뿍 뜯어서 덮었다.

민물새우는 성질이 급하고 재빨라서 한 뼘도 안 되는 높이의 어레미를 뛰어넘어 도망가는 것은 쉬운 일이었으므로 민물새우가 뛰지 못하게 미리 수초 따위로 덮어두면 안심할 수 있었다.
어레미를 들고 다니면서 고기 따위를 담는 것을 외할머니가 보신다면 질색을 하시겠지만, 잡은 고기나 새우를 오랫동안 산 채로 보관하자면 어레미만큼 좋은 그릇이 없었으므로 나중에 꾸중 들을 줄 알면서도 어레미를 들고 나오게 되는 것이었다.

양어장에서 물레방아 간까지 흐르는 수로의 길이는 300m가 훨씬 넘는 거리였으며, 중간쯤에서 새우 뜨기를 시작한 게 어느덧 양어장이 건너 보이는 둑 앞까지 왔다.
둑 앞에서는 수로가 지하로 연결되어 있었으며 물이 깊어서 더는 새우잡이를 할 수가 없었다.
어레미 안에 떠 있는 수초를 살짝 걷어보니 생각보다 많은 민물새우가 오글대고 있었다.
저녁나절이 가까워졌는지 뜸부기 우는 소리가 자주 들려왔다.
둑 위로 올라서니 불어오는 바람도 더운 기운이 가신 듯했다.
외할머니가 저녁밥을 짓기 전에 집에 도착하는 것이 좋을 것 같아서 새우잡이는 그만두기로 했다.
어레미를 물속에서 들어 올리자 새우들이 일제히 토닥토닥 뛰어오르기 시작했다.
수초를 덮었음에도 어레미 밖으로 뛰쳐나오는 놈이 있었다.
한 마리라도 온전히 집으로 가져가고 싶은 욕심에 집으로 가는 걸음이 빨라졌다.

둑 아래 논길로 접어들었을 때쯤 어레미 속의 새우들은 지쳤는지 더 토닥대지 않고 조용해졌다.

어느 집에서 밥을 짓는지 송진 냄새 묻은 연기가 바람에 실려서 고샅을 빠져나오고 있었다.

활짝 열려 있는 삽짝을 들어서니 안채 축담 위에 앉아서 나물을 다듬는 외할머니가 보였다.

나와 눈이 마주쳤고 외할머니는 금방 내 양손에 들고 있는 것이 소쿠리와 어레미인 걸 알아차리셨다.

"얼기미 밑 빠진다고 몇 번이나 말했건만, 또 가지고 나갔더냐?"

"얼기미로 새우 뜬 게 아니고, 소쿠리로 떴는데요."

"얼기미 밑을 빼 먹은 게 한두 번이냐? 얼기미 고친다고 든 돈으로 새우를 사 먹었으면 일 년 열두 달 먹고도 남았을 거다."

외할머니는 어레미 안의 새우를 손으로 뒤적이면서 한마디 하셨다.

"지는 입에도 대지 않는 새비를 왜 이리 많이 잡아왔노?"

37. 도깨비불

풀어헤쳐 늘어뜨려 놓은 실타래처럼 뭉실뭉실한 안개는 고치를 짓기 위해 섶에 오르는 누에처럼 스멀대며 골목으로 몰려 들어가고 있었다.

기역으로 꺾어지는 골목을 만난 안개는 왼쪽에 버티고 서 있는 키 큰 은행나무를 휘감으며 맴돌았고, 앞선 안개에 밀려서 뒤따르던 안개는 길을 바꿔 돌담을 타고 올라가다 돌 틈에 눌러앉은 하늘타리 잎사귀에 주저앉아 물방울로 바뀌고 있었다.

장마철에 접어들었는지 동네엔 안개가 끼는 날이 잦았다.

저녁을 먹고 난 뒤 아이들은 평소처럼 앞 각단의 공터에 모여들었다.

공터는 집 한 채 들어앉을 수 있을 정도의 넓이로, 윗동네의 보洑들이 수로를 여는 모내기철에는 수로를 따라 찰랑대며 흘러온 물이 고여 있기도 했으나, 벼가 자라기 시작해서 논마다 물을 가둬 놓은 지금은 물이 말라버려 공터는 말 그대로 빈터로 남아 있었다.

아이들은 공터에서 땅따먹기나 자치기도 했고, 놀이가 시들해지면 물이 고였을 때 동네로 들어가기 위해 사용했던, 듬성듬성 놓인 어른 몸통만 한 세 개의 돌다리에 걸터앉아 이야기꽃을 피우기도 했다.

저녁나절 동네를 감싸고 있던 안개는 어느새 멀리 강 건너 족제비 비탈 쪽으로 몰려가 있었고, 무논에서는 밤이 시작되는 걸 알아차린 개구리들의 울음소리가 동네 골목으로 뛰어들고 있었다.

멀리 떨어져 있는 산자락의 풍경은 매일 봐오던 기억 때문에 그곳에

산이 있다는 걸 느끼게 할 뿐, 어둠에 감싸여 컴컴한 산의 형태는 안개까지 서려 있어 군데군데 지우개로 지우다 만 것처럼 뭉개져 희끗희끗한 모습으로 길게 엎드려 있었다.

산자락과 강을 훑고 지나온 비를 머금은 축축한 바람이 동네 어귀를 지나 아이들이 모여 있는 공터를 맴돌고 지나갔다.

습기를 털어내지 못한 목소리로 누군가가 비명처럼 소리를 질렀다.

"도깨비불이다! 저기 쪽제비알(족제비 비탈)에!"

소리를 지른 진태가 손가락으로 가리키는 곳으로 아이들의 시선이 쏠렸고, 과연 시커멓게 웅크리고 있는 산자락 아래 길이 나 있는 곳이라 짐작되는 곳에, 안개 속이긴 했지만 두 눈으로 확인할 수 있는 불빛이 어른대고 있는 게 보였다.

우리가 보고 있는 사이 불빛은 족제비 비탈의 산길을 따라 한동안 읍내 쪽으로 옮겨 가다가 어느 순간 방향을 바꿔 왔던 길을 되돌아가고 있었다.

"불이 움직이는 걸 보니까 호롱불이네. 도깨비불은 아닌가 보다."

길로가 아는 체했다. 그런데 길로의 말이 끝나자마자 불빛은 우리가 알고 있는 산길을 벗어나서 산 위로 올라가고 있었다.

"어? 도깨비불이 애장 터로 올라가고 있는데……, 호롱불이 아닌 모양이네."

청우가 말했고 이어서 누군가가 아는 체를 했다.

"도깨비불이 맞는가 보다. 애장 터에서 도깨비들이 득시글대는 걸 우리 할아버지가 봤다더라."

"도깨비불은 애장 터에만 있는 게 아니고 양어장에도 있고, 지동 댁 집 뒤에 있는 은행나무 밑에도 있다더라."

지동 댁은 외할머니 택호였고, 은행나무는 외가댁 뒤란 담 너머에 있는 나무였다. 덜컥 겁이 나서 내가 변명 같은 소릴 했다.

"은행나무 밑에 도가지 깨진 거 하고 몽당빗자루 갖다 버린 거 때문에 인불이 난다고 그러더라."

"인불이 도깨비불인 걸 모르나? 그게 밤에는 파란불로 변해서 번쩍거리면서 여기저기 돌아다닌다고 그러데."

"아무리 그래도 그렇지. 몽당 빗자루가 어떻게 불로 변하나?"

"그러니 귀신이 있다는 거 아닌가? 지지난해. 너의 외가 아래채에서 '꽝' 사고로 죽은 진수 아재가 귀신으로 변해서 날이 끄물대기만 하면 너의 외가 아래채에 있는 평행봉 근처에서 울고 있는 걸 동네 사람들이 봤다는 소리 못 들었나?"

"나도 그 말은 들었다. 지동 양반이 기분이 나빠서 평행봉을 치워버리려고 했더니, 꿈에 나타난 진수 아재가 울면서 평행봉에 걸려 있던 손목을 찾기 전에는 평행봉을 치우지 말아 달라고 사정을 했다더구나."

진수 아재는 외삼촌의 친구였으므로, 형이라고 부르기가 애매하여 내가 아재라고 부르기 시작했고, 또래 친구들이 모두 진수 아재라고 했던 사람이었다.

손재주가 좋은 그는 고등학교 2학년 여름 방학 때 물고기를 잡겠다고, '꽝'이라고 했던 사제 다이너마이트를 만들었던 게 사고의 원인이 되었다.

그가 만든 사제 다이너마이트는 활명수 빈 병에 딱총 놀이에 사용하는 화약을 잔뜩 까 넣고, 목화솜으로 다진 후 휘발유로 공간을 채우고 도화선은 양초 심지를 사용한 조잡한 것이었지만, 폭발하면서 내는 소리가 꽤 컸으므로 물고기를 잡는 데 효과가 있었다.

그날도 그는 새로 만든 다이너마이트를 꼴망태에 숨겨 넣은 후 외삼촌을 데리러 왔다.

외삼촌은 점심을 먹는 중이었고, 진수 아재는 외삼촌이 나오길 기다리면서 아래채 평행봉 밑에서 어정거리고 있었다.

시간이 꽤 지나도 나오지 않는 외삼촌을 기다리던 그는 사제 다이너마이트를 꺼내 마지막 점검을 하고 있었다.

양쪽 무릎 사이에 조그만 병으로 만든 다이너마이트를 끼고 약간 엎드린 채 병의 아가리 속으로 모습을 감춘 심지를 꺼내려 막대기로 깔짝대는 걸 외삼촌이 안채 마당을 건너오며 보았고, 순간적으로 위험하다는 걸 느낀 외삼촌이 소리를 질렀다.

"야! 위험하다. 그만둬라!"

외삼촌의 고함이 끝나기도 전에 평행봉 밑에서 굉음이 들렸고 진수 아재가 앞으로 꼬꾸라지는 걸 외삼촌이 목격했다.

화약 냄새가 진동했고, 앞으로 쓰러진 진수 아재의 복부 쪽에서 쏟아져 나온 검붉은 피가 금방 마당을 적시고 있었다.

굉음에 놀란 동네 사람 몇 명이 뛰어나왔을 때, 진수 아재는 숨을 헐떡이며 고통을 호소하고 있었고, 처참한 광경에 경황이 없어 사람들은 그냥 우왕좌왕할 뿐 그를 도울 방법을 생각하지 못하고 있었다.

누군가가 평행봉을 잡고 있는 듯 걸려 있는 진수 아재의 잘려져 나간 손목을 보고 질겁하여 소리치며 사태를 수습하고자 했으나 마땅히 도움을 줄 만한 것이 주위에는 아무것도 없었다.

뒤늦게 연락을 받은 진수 아재의 늙은 아버지가 허겁지겁 소달구지를 끌고 와서 진수 아재를 태우고 20리도 넘는 읍내 병원으로 향했지만, 출혈이 심해서 그랬는지 진수 아재는 병원 문턱도 넘어보지 못하고 세상을 떠나고 말았다고 했다.

끔찍한 사고로 목숨을 잃는 진수 아재가 귀신으로 변해서 동네 여기저기를 쏘다닌다고 하니 겁이 안 날 수가 없었다.

바람이 한 줄기 불어오자 서너 뼘 크기로 자란 벼들이 일제히 고개를 숙였고, 죽으라고 울어대던 개구리들의 울음소리가 일시에 뚝 그치는 바람에 그렇지 않아도 으스스하던 기분이 오싹 소름이 끼치도록 섬뜩했다.

진수 아재 귀신이 은행나무 밑에서 웅크리고 있다가 어두워지면 외가로 이어진 골목으로 걸어 나올 것만 같아, 한동안 골목 안쪽으로는 시선도 주지 않은 채 골목 입구에서 외가 안채의 대청마루까지 단숨에 달려가곤 했었는데, 어느 해 동네의 나이 드신 몇 분의 관으로 사용한다고 은행나무를 잘라내고 나서는 골목에서 행했던 뜀박질도 멈췄던 기억을 떠올리며 오랜만에 들른 외가는 잊혀가는 내 기억만큼 퇴락해 있었다.

골목길의 돌담은 시멘트 블록으로 바뀌어 여름이면 무성하던 하눌타리 잎사귀도 볼 수 없었고, 형체만 어렴풋이 남은 은행나무의 그루터기 주변에는 사금파리, 몽당빗자루 따위 대신 이름 모를 잡초들만 자라고 있었다.

도깨비불이 돌아다니던 산길은 아스팔트가 깔린 도로로 바뀌어 밤낮 없이 지나다니는 자동차가 무서워서라도 도깨비는 나타날 수 없게 되었다고 고향을 지키고 있는 오랜 친구가 알려주었다.

38. 소 먹이러 가기

여름 방학이 되자마자 달려간 외가에서 내가 하는 일은 소를 먹이러 가는 것이었다.

점심을 먹은 후 오후에 소를 먹이러 나가기 때문에 아침나절에는 할 일이 없었다.

넓은 집안 여기저기를 어슬렁거리며 돌아다니다가 터 밭에 가서 쪼그려 앉아 채소 잎에 붙어있는 무당벌레 따위를 구경도 하고, 때 이른 참매미 울음소리를 듣고 뒤란의 감나무 가지에 붙어있는 매미를 잡으러 감나무에 올라가기도 했다.

놀란 매미가 외마디 울음소리를 남기고 날아 가버린 하늘을 허망하게 올려보면 감나무 잎사귀 사이로 빤히 구름 한 점 없는 파란 하늘만 보였다.

파란 하늘이 서럽도록 파래, 어머니가 보고 싶다는 생뚱맞은 생각이 들어 괜히 코끝이 찡해지기도 했다, 어머니 생각을 지우려 땡볕이 내리쬐는 동네 고샅을 쓸데없이 한 바퀴 둘러보기도 했지만 스산하고 고즈넉한 기분을 떨칠 수가 없었다.

그렇게 어정거리다가 보니 시간을 많이 빼앗겨 점심이 늦어졌다.

대청마루에서는 집 앞을 지나가는 사람이 보이지 않았지만, 소 먹이러 일찍 집을 나선 동네의 누군가가 소리치는 소리와 소의 울음소리도 들렸으므로 나도 모르게 밥 먹는 속도가 빨라졌다.

내가 반찬을 제대로 집어 먹지 않고 맨밥을 꿀떡꿀떡 삼키는 걸 보신 외할머니께서는 텃밭에서 따오신 풋고추에 된장을 듬뿍 찍어 내게 내미셨다.

"밥을 말아라. 고추가 조금 매운 것 같아도 맛이 들어서 먹을 만하더라."

물에 밥을 말아 먹는 걸 싫어하는 줄 아시면서도 또 권하셨다.

나는 할머니께서 아까 떠다놓으신 양재기에 담긴 우물물을 마당에 흩어 뿌렸다.

양재기를 제대로 헹구지 않고 물을 담는 걸 보았으므로 기분이 찜찜했던 것이었다.

새로 우물을 깃는 내 모습을 보고 외할머니는 못마땅하신 표정으로 말씀하셨다.

"세상 어디에도 물 씻어 먹는 데는 없다더라. 어찌 그리 꼭닥스럽나?"

"더 찬 물을 마시려고 그러는 건데요."

외할머니의 핀잔에 민망해서 변명했지만 눈치가 빠른 외할머니가 내 속셈을 모를 리는 없을 것이었다. 그러면서도 금방 말씀을 바꿔 내가 무안해하는 걸 모른 체 하셨다.

"모래 장날, 장에 가면 갈치라도 몇 마리 사 오라고 해서 구워 줄게."

외할머니 말씀대로 남은 밥을 물에 말아서 된장에 풋고추를 찍어 먹으니까 그런대로 먹을 만했다. 먹을 만했던 것이 아니라 밥맛이 확 살아나는 것 같았다.

매운맛이 혓바닥을 살짝 아리게 했지만 짭짤하면서도 들쩍지근한 된장의 끝 맛이 구수하게 입안에 남아 있었다.
후딱 남은 밥을 먹어 치우고 서둘러 외양간으로 가서 소를 끌고 나왔다.

동네는 들 복판에 있었으므로 집을 벗어나면 바로 논틀길로 이어졌다.
논틀길 양쪽에 펼쳐져 있는 논에는 두 벌 매기가 끝난 벼 포기들이 초록빛으로 더 짙어졌고 후끈 더운 바람이 벼 포기 사이를 헤집고 나왔다.
둑 위에는 소 먹이러 가는 동네 또래 몇 명의 모습이 보였다.
앞, 뒤 각단 다 합쳐 서른 가구 정도 되는 동네에서 소를 먹이는 집은 스무 가구 정도였는데, 여름 한 철 오후에는 소를 몰고 나와 동네 건너편 강을 건너가서 산에다 소를 풀어 놓았다. 그걸 소 먹이러 간다고 했다.
동네의 소들은 누가 서열을 정해 준 것도 아닌데도 용케 저들끼리 엄중한 서열 속에서 움직이고 있었다.
우리가 봐도 좀 나이가 들어 보이고 덩치가 큼직한 버구 댁의 소가 우두머리였고, 그다음이 외가 집의 소였다.
동네 소들이 전부 암소여서 싸움을 하지 않을 것으로 생각했는데, 그건 내가 잘못 생각했던 것이었다.
서열이 낮은 소가 어떻게 서열이 좀 높은 소의 영역을 침범이라도 하게 되면 서열이 높은 소는 그걸 그냥 봐주지 않는 것 같았다.
서열이 높은 놈은 다짜고짜 콧김을 내뿜으며 뿔로 치받았고, 갑자기 공격을 당한 서열이 낮은 놈이 질세라 고개를 숙이고 뿔을 곧추세우고 달려들기도 했지만 싸움은 금방 싱겁게 끝나곤 했다.

한 번 우위를 점한 소는 좀처럼 아래 것들한테 자기의 자리를 내어주지 않는 것 같았다. 그렇게 은연중에 정해진 서열대로 소들은 제 영역을 벗어나지 않으면서 천천히 산등성이 여기저기를 어슬렁대듯 느릿느릿 움직이며 풀을 뜯어 먹었다.

소들이 풀을 뜯어 먹을 동안 몇몇은 나중에 집에서 소먹이로 사용할 꼴을 베러 가기도 했지만, 대부분의 아이는 멱을 감거나 하면서 우리들만의 놀이에 열심이었다.

오늘은 물고기를 잡아 구워 먹기로 했으므로 모두들 고기를 잡느라고 분주했다.

북개는 물속에 웅크리고 있는 바위 틈새로 손을 넣어 고기를 잡아내기도 했다.

큰 돌멩이를 내려쳐 돌 틈에 숨어있는 고기를 기절 시켜 잡아내기도 하는 등 아이들은 자기만의 방법으로 고기를 잡아 모았는데 의외로 잡은 고기의 양이 꽤 많았다.

소들이 고개 너머 산등성이 근처에서 풀을 뜯고 있을 때라고 감각적으로 알아차리면 아이들은 미련 없이 놀이를 접고 소들이 있는 곳과 가까운 곳으로 가는 것이었다.

좁은 산길과 골짜기 사이에 큰 소나무가 몇 그루 위태롭게 서 있는 곳을 지나면 물이 조금 고여 있는 계곡이 나왔다.

계곡 옆을 따라 조금 더 가다 보면 우리 또래의 아이들은 서른 명이 올라가서 놀아도 될 만큼 크고 너른 바위가 있었다.

너른 바위 뒤에 또 하나의 큰 바위가 있었고, 그 바위 위에 올라서면 산꼭대기까지 훤히 보였으므로 굳이 소를 따라다니지 않고도 소들의 움직임을 알 수 있었기에 우리는 너른 바위 근처에 자리 잡고 앉아 다음 놀이에 열중하는 것이었다.

소들은 절대로 산을 넘어가지 않을 것이며 집으로 돌아가야 할 때가 언제인지를 정확히 알고 있었다.

우리가 굳이 소를 몰러 가지 않아도 앞서 내려오는 우두머리를 쫓아서 줄줄이 산에서 내려올 게 분명하므로 우리는 그냥 그때까지 놀기만 하면 되었다.

햇볕은 쨍쨍했고 골짜기를 타고 가끔 불어오는 한 줄기 바람이 잠깐씩 더위를 가시게 했다.

북개는 근처 오리나무 그늘에 자리를 잡아 고기 구울 화덕을 만들기 시작했다.

많이 해 본 솜씨로 네 개의 받침돌로 기둥을 세워 바닥에 고정한 후 그 위에 한 아름이 되어 보이는 납작하고 넓적한 바위 돌을 올려놓는 것으로 괜찮아 보이는 화덕이 완성되었다.

몇몇 아이들은 벌써 마른 나뭇가지들을 주워 와서 화덕 근처에 모아두고 있었다.

북개가 화덕 안에 불쏘시개로 쓸 솔가리를 깐 뒤 성냥불을 긋자 금방 불이 붙었다.

화덕의 불은 잘 타올랐다. 시간이 조금 지나 다 타버려 불땀이 약해지자 숯으로 변한 가지들을 골라내어 화덕 입구에 따로 모으고 있었다.

옆에서 보고 있던 아이가 망태를 뒤적여 풀잎으로 감싸둔 것을 꺼냈다.

물고기를 잡자마자 배를 따서 창자 따위를 걷어내고 손질해 둔 것이었다.

북개는 화덕 위의 넓적한 바위 위에 물고기를 가지런히 올려놓았고, 숯불 위에도 남은 물고기들을 올려놓았다.

뿍지라고 불렀던 동사리와 꺽지, 피라미 따위의 물고기들이 바위 위에서 익어 가면서 김이 나기 시작하자, 북개는 그 위에다 소금을 슬슬 뿌리는 것이었다.

숯불 위에 올려놓은 징거미 한 마리는 살아있는 것처럼 춤추듯 허공에 대고 집게발을 흐느적대더니 금방 빨갛게 익었다.

북개는 나뭇가지를 잘라서 만든 젓가락으로 익은 징거미를 집더니 내게 내밀었다.

"먹어 봐라. 잘 익었다."

나는 엉덩이를 뒤로 조금 빼 물러나 앉으며 손사래를 쳤다.

"민물고기는 안 먹는다."

내 말이 어이가 없었던지 북개는 이해할 수 없다는 표정으로 다시 말했다.

"징거미는 비린내가 안 난다. 한번 먹어봐라."

"안 먹는다니까."

둘이서 하는 말을 듣고 있던 구장 집 둘째 딸 덕이가 끼어들었다.

"징거미를 안 먹는 사람도 있나? 내가 먹을게. 이리 줘 봐라."

북개가 건네주기 전에 날름 징거미를 낚아챈 덕이는 징거미 머리 부분의 껍질을 떼 내고 몸통을 한 입에 털어 넣었다. 두 번도 씹지 않고 징거미를 삼킨 덕이는 굵은 소금을 몇 알 집어 입에 털어 넣으며 한마디

했다.

“좀 싱거워도 맛만 좋구먼, 이런 걸 안 먹는다니 이상하네.”

북개가 얼굴의 땀을 손바닥으로 훑으면서 말했다.

“민물고기를 안 먹는다니까, 다음에는 감떡이나 구워 먹을까?”

징거미 한 마리를 얻어먹은 덕이가 나를 빤히 바라보며 말했다.

“징거미도 먹을 줄 모른다는데, 감떡은 먹을지 모르겠네.”

“감떡이야 먹을 테지, 우리 동네에서 감나무가 제일 많은 집이 지동 댁이니까, 감이나 많이 주워 와라. 감떡이 얼마나 맛이 좋은지 알려줄게.”

나는 둘이 말하는 걸 들으면서 듣도 보도 못한 감떡이 어떤 건지 궁금했다.

날짜는 정하지 않았지만, 감떡 해먹는 날이 빨리 왔으면 하는 마음이었다.

계곡을 따라 시원한 바람이 불어왔고, 어느새 소들이 집으로 돌아가려는 차비를 하는지 방향을 산 아래쪽으로 향하고 있는 게 보였다.

39. 감떡

민물고기를 구워 먹던 날 말한 대로 오늘은 감떡을 해 먹기로 했으므로 미리 풋감을 주워 모아야 했다.

“네 외갓집에 감나무가 많으니까 풋감이 많이 떨어져 있을 거다. 많이 주워 와라. 단감은 맛이 없으니 줍지 마라.”

북개가 말했듯이 외가에는 담장을 끼고 몇 그루의 감나무가 있었고, 열리는 감의 종류도 달랐다.

내가 이름을 알고 있는, 단감나무가 두 그루, 억대감이라고 하는 어른 주먹보다 큰 감이 열리는 대봉나무가 두 그루, 홍시로 먹을 때 단맛이 기가 막힌다는 반시가 세 그루에, 반시보다 크기가 작은 넓적한 감이 열리는 감나무가 외양간과 삽짝 사이에 버티고 있었다.

나는 단감나무 밑에만 가지 않고 다른 감나무 밑을 어슬렁거리며 떨어져 있는 풋감들을 주워 모았다.

제대로 자란 감의 반의반 정도 크기의 감들이 꽤 많이 떨어져 있었다.

초봄에 감나무 밑동 둘레를 깊이 파낸 후 인분으로 만든 거름을 하는 장면을 보고 얼굴을 찡그리며 외면했더니, 외할아버지께서 거름을 하는 이유를 알려 주셨다.

“감이든 뭐든 열매를 맺는 것은 거름을 많이 줘야 해거리를 하지 않고 열매가 많이 열리고 튼튼하게 자란단다."

그런데도 감이 많이 떨어져 있는 걸 보면 외할아버지께서 말씀하신 거름발이 잘 먹혀들지 않는 모양이었다.

그렇게 주워 모은 감을 주머니에 담아서 삽짝 옆에 미리 감추어 두었으니 외할머니 몰래 얼른 꺼내 들고나가야 했다.

씨앗 따위를 보관하는 용도로 사용하는 주머니가 비어있는 것이 없어서 땅콩 씨앗을 됫박에 쏟아 놓고 몰래 광에서 들고 나왔으므로 사용하고 난 뒤 감쪽같이 원래대로 갖다 둬야 했다.

그냥 버리는 떨어진 풋감을 꽁꽁 숨겨 가는 건 자칫 오해받을 수 있는 행동이었으므로 어른들에게 들키지 않게 조심하는 것이 좋을 것 같다는 생각이 들었다.

민물고기를 구워 먹을 때 사용했던 화덕은 상태가 좋았으므로 손을 보지 않고 바로 불을 피우기만 하면 되었다.

익숙한 솜씨로 화덕에 불을 붙인 북개는 넓적한 바위 위에 풋감을 가지런히 줄을 세우듯 올려놓았다.

부침개를 만들기 위해서 프라이팬 위에 반죽한 재료를 올려 편 듯한 모양과 같았다.

그렇게 올려놓은 풋감 위에 뚜껑을 덮듯이 또 다른 넓적한 바위를 올려놓았다.

얼마 지나지 않아 화덕 위에 올려놓은 넓적한 바위가 뜨거워졌는지 위에 올려놓은 감들이 익으면서 풋감에서 빠져나온 진액이 바위 아래로 조금씩 흘러내리고 있었다.

북개는 덮게 삼아 올려놓은 바위 위에 또 다른 바위를 올려놓았다.

내가 바위 아래로 흘러내리는 감 물을 보고 있는 걸 본 북개가 알려주었다.

"떫은맛이 다 빠져 나오는 거다. 저렇게 떫은맛이 빠지고 나면 감은 억수로 달다."

그러고도 한참 동안 불을 더 때고 난 뒤 북개는 일어서서 크게 기지개를 한번 켜고는 천천히 계곡으로 내려가서 물이 졸졸 흐르는 곳에서 얼굴을 닦기 시작했다.

감을 굽는 것으로 생각한 나는 아궁이 위 바위 불판의 감이 어떻게 변했을지 궁금했다.

많은 양은 아니었지만, 그때까지 풋감에서 빠져나온 떫은 액체가 바위 사이의 골을 타고 조금씩 흐르면서 더운 김을 뿜어내고 있었으므로 아직 손을 대지 못할 정도로 뜨거울 것이라는 생각이 들었다.

내가 가지고 온 풋감의 양이 제일 많았지만, 아궁이를 만들고 불을 때는 수고를 한 북개가 익은 감을 나누어 줄 때까지 기다리는 수밖에 없다는 생각으로 잠자코 기다리고 있었다.

얼마나 시간이 지났을까?

아까부터 보이지 않던 아이들 세 명이 꼴이 가득 담긴 망태를 어깨에 메고 골짜기 쪽에서 올라왔다.

소들을 풀어 놓자말자 바로 꼴을 베러 갔던 모양이었다.

나이가 내 또래여서 아직 힘든 일을 할 나이가 아닌 것 같았지만 그들은 이미 반은 어른 행세를 하고 있었다.

꼴망태를 땅에 내려놓은 태형이가 북개에게 큰 소리로 물었다.

"감떡 하나 먹어도 되나?"

계곡에서 북개가 대답했다.

"아직 뜨거울 거다. 조금만 기다려라. 내가 올라가서 꺼내줄게."

꼴을 베고 온 세 명은 북개의 말에 아무소리하지 않고 꼴망태를 바닥에 내려놓은 뒤 근처 나무 그림자 밑에 자리를 잡고 앉아 북개를 기다리고 있었다.

우리가 그렇게 감떡이 식기를 기다리는 동안 건너편 산의 그림자가 우리 발밑에 있는 골짜기를 반 너머 건너와 있었다.

우리가 놀고 있는 자리에서는 소들이 보이지 않았지만 열댓 걸음쯤 떨어져 있는 큰 바위 위에 올라서서 보면 풀을 뜯고 있는 소들을 볼 수 있을 것이었다.

지금쯤이면 소들은 정상을 코앞에 둔 억새 숲 근처에서 풀을 뜯고 있을 것이었다.

그곳에는 꽤 너른 습지가 있어서 소가 좋아하는 풀들이 많았고 소들이 오래 지체하는 곳이기도 했다.

화덕 앞에 자리를 잡고 앉은 북개가 조심스럽게 화덕 위의 바위를 들어 내렸다.

풋감들은 나부랑납작하게 쪼그라들었고 진한 고동색으로 변해 있었다.

곶감 같은 모습이었다.

뜨거울지도 모른다고 생각했던지 북개는 나무젓가락으로 익은 감 한 개를 집어 입김을 후후 불어 식히고는 조금 떼 내어 골짜기 밑으로 던지면서 소리쳤다.

"고수레"

북개는 어른들이 산이나 들에서 음식을 먹을 때 귀신에게 음식을 먼저 대접하는 행동을 그대로 흉내 내어 고수레를 한 뒤 다시 한입 떼어먹으면서 말했다.

"야, 맛있다. 올해 처음 만든 감떡은 대성공이다. 하나씩 먹어 봐라."

둘러앉은 아이들은 북개가 나누어 주는 감떡을 한 개씩 받아 들고는 먹기 시작했다.

나는 감떡을 바로 입으로 가져가지 않고 다른 아이들이 먹는 모습을 지켜보고 있었다.

뜨거운지 호호 입김을 불어가며 감떡을 조금씩 잘라 먹는 아이들의 표정을 보니 정말 맛이 있을 것 같았다.

다른 아이들처럼 한입 베어 물었다.

촉감이 곶감을 베어 물었을 때와 흡사했다.

질기지 않으면서도 쫀득쫀득하게 씹히면서 달콤한 맛이 혀끝에 확 퍼졌다.

단맛은 곶감 저리 가라 할 정도로 달았다.

"맛 있제?"

북개가 의기양양한 표정으로 물었다. 내 대답도 듣기 전에 다시,

"읍에서 백 년 살아 봐라, 이런 걸 얻어먹을 수가 있나?"

그랬다. 그 날 내가 먹어 본, 이름조차 처음 들었던 감떡은 살면서 처음 먹어 봤던 별미였다.

그 해 여름, 몇 번 더 감떡을 해 먹긴 했지만, 처음 먹어 봤을 때처럼

아주 달디 단 그런 맛은 아니었던 것 같았다.

뜬금없이 감떡 해 먹었던 때가 그립다.
오늘처럼, 몇 년째 살고 있는 동네, 골목 안쪽에 감나무가 한 그루 있다는 것을 알게 되었고,
그 감나무에 노란 감꽃이 총총 피어 있는 것을 보게 되자 불현 듯,
북개가 보고 싶고 감떡도 먹고 싶다.

40. 자라 이야기

외갓집 근처에 있는 수로나 웅덩이에는 자라가 많았다.
물결이 잔잔한 강 수면에 모가지만 내놓고 숨을 쉬고 있는 자라는 강에서만 봤던 게 아니고 양어장에도 자주 볼 수 있었다.
어른들은 낚시를 하다가 자라가 걸리면 재수가 없다고 했다.
낚시에 걸린 자라가 삼킨 낚시를 빼낼 방법이 없었기 때문에 아예 낚싯줄을 끊어내야 했으니 성가시고 번거로워서 그런 불평을 했을 것이다.

자라는 보리누름에 알을 낳고 그 알은 땅콩을 수확할 즈음에 부화가 되는 것으로 기억된다.
외가에서 읍으로 가는 길목에 장늪이라 불리는 습지가 있었다.
장늪 못미처 세 군데에서 흘러온 강물은 월연정 앞에서 합쳐져서 깊은 강으로 바뀌었고 세 줄기 강물이 합쳐지기 전의 두 줄기 강물 사이에는 넓은 밤밭이 펼쳐져 있었다.
밤밭을 끼고 흐르는 작은 물줄기를 따라 올라가면 물레방앗간이 나왔고 그 너머엔 오래된 폐 양어장이 있었다.
이 물줄기에는 고기도 많았고 자라도 많았다.
자라 알 낳는 시기를 보리누름으로 기억하는 것은 이 물줄기 때문이었다.

우리 때는 보리 수확과 모심기를 할 때면 가정실습이라 하여 며칠간 방학을 했었다.

농사를 짓든 안 짓든 모두 학교에 가지 않았다.

그때마다 나는 바로 외가로 달려갔다.

농사일을 도우러 가는 것이 아니라 시골 생활을 즐기려 가는 것이었다.

하루 종일 들로 산으로 돌아다녀도 간섭하는 사람이 없었으니 세상에 그런 천국이 어디 있었을까?

싸리로 만든 소쿠리를 이용하여 고기잡이하는 것도 재미있었다.

가끔 물속의 수초 줄기 속에 숨어있던 물뱀이 혀를 날름대며 소쿠리에 잡히기도 해서 식겁을 하고 소쿠리를 냅다 팽개치고 물뱀이 소쿠리에서 빠져나갈 때까지 가슴을 콩닥대며 겁에 질려 있을 때도 있었지만, 그래도 고기를 잡는 재미가 있어서 시간 가는 줄 모르기 일쑤였다.

어느 날 그렇게 고기잡이를 하다가 물레방앗간 아래 밤밭까지 가게 되었다.

그렇게 더운 날씨는 아니었지만, 물속에서 놀기에는 좋은 날씨였다.

내가 밤밭에 도착했을 때 잎이 무성해진 밤나무 그늘이 강의 반쯤까지 드리워져 있었다.

그림자기 미치지 않은 쪽의 조용히 흐르는 강물 위에는 고루 내려앉는 햇발이 수천수만 개의 보석처럼 빤짝대고 있었다.

강물을 따라 아래쪽 밤밭이 끝나는 곳까지 깨끗한 모래밭이 눈 가는 데까지 이어져 있었다.

알갱이가 잘고 고운 모래밭에도 햇빛이 내려앉아 있었다.

물기에 젖어 있는 강 가장자리 모래 위에 발자국을 찍으며 천천히 걸어

가다가 몇 발작 앞에서 검은 물체들이 한꺼번에 움직이는 것을 보게 되었다.

처음엔 놀랐으나 이내 자라들이 엉금엉금, 아니, 동화책에서 읽은 적이 있는 거북의 걸음걸이인 엉금엉금 기어가는 것이 아니라 아주 빠른 속도로 강물로 향해 도망을 가고 있는 것을 볼 수 있었다.

어미 자라가 알을 낳으러 모래밭에 올라왔다는 건 나중에 알게 된 사실이었지만, 어쨌든 예기치 않은 인적에 놀라서 달아나는 자라들을 목격한 나는 흥분이 되었다.

순간 자라를 잡아야 하겠다고 생각한 나는 도망가는 자라를 향해 잽싸게 달려가서 얼른 자라 몸통을 잡고 뒤집어 모래 바닥에 내려놓았다.

한 놈이 모래 바닥에서 엎어진 채 버둥대는 동안 다른 놈에게 달려가서 같은 짓을 했다.

혼자서 숨이 찰 정도로 뛰어다니면서 자라들을 엎어 놓았지만, 자라를 담을 그릇이 없었다.

결국 포기하고 그중 큰 놈 한 마리만 버드나무 가지에 올려놓고 줄기로 뻗어난 물풀로 얼기설기 묶은 다음 외갓집까지 들고 가기로 했다.

탄력이 없는 물풀 줄기가 풀어지곤 하는 통에 집 까지 자라를 가져가느라고 엄청 애를 먹었다.

외갓집 마당에 자라를 풀어 놓은 후 자라를 잡은 무용담을 신나게 늘어놓는 내게 외삼촌은 알 낳으러 올라온 자라를 잡아 오는 놈이 세상에 어디 있느냐고 호통을 치며 내 머리통에 꿀밤을 먹이고는 당장 풀어 주라고 해서 강으로 가는 길이 한없이 멀기만 했다.

외가의 땅콩밭은 깨밭 너머에 있었다.
장마 때는 땅콩밭 앞까지 강물이 차고 올라왔지만 강의 원줄기는 100m도 더 멀리 떨어져 있었다.
땅콩밭 앞의 강변에는 군데군데 물이 얕은 웅덩이가 흩어져 있어서 고기도 잡고 물놀이 하기에 아주 좋은 곳이었다.
어른들이 땅콩밭에서 수확을 하는 동안 소 풀을 먹이면서 밭 아래 언덕에서 모래 장난을 하며 시간을 보내고 있었다.
모래를 끌어모아 길도 닦고 집도 지었다.
모자라는 모래를 퍼오려고 언덕 쪽의 모래를 파내다가 깜짝 놀랐다.
십리사탕이 소복이 모래 속에 묻혀 있는 것을 발견했기 때문이었다.
우리 또래라면 십리사탕을 모른다고 하진 않을 것이다.
어른 엄지손톱 정도의 크기에 동그랗고 흰색으로 광채가 나는 사탕이었는데 하도 딱딱하고 단단하여 도저히 깨트려 먹을 수가 없어 입속에 넣고 빨아 먹으면 사탕이 녹을 때까지 십 리는 갈 수 있다고 해서 갖다 붙인 이름이 십리사탕이라고 했다.
모래 속에서 발견한 것이 십리사탕이 아니라는 걸 알면서도 십리사탕과 너무 흡사하여 어떻게 그런 것들이 모래 속에 묻혀있는지 도저히 이해가 되지 않았다.
하도 신기하여 쥐고 있던 꼬챙이로 십리사탕을 톡 건드렸더니 사탕이 깨지면서 놀랍게도 무언가가 고개를 쏘옥 내미는 것이었다.
자세히 들여다보니 자라 새끼였다.
십리사탕과 똑같이 생긴 것은 자라의 알이었던 것이었다.
꼬챙이로 건드리는 것마다 알이 깨지면서 자라 새끼들이 꾸역꾸역 기어

나왔다.

알이 덜 깨진 것은 새끼 스스로가 조그만 구멍으로 고개를 밀치고 나왔고 하나같이 탯줄(?)을 단 채 강 쪽으로 향해 기어가고 있었다.

한 놈을 잡아 방향을 바꿔 놓았더니 어느새 강 쪽으로 방향을 바꾸어 기어가는 것이었다.

신기하고 재미가 있어서 몇 군데의 모래를 더 파 보았다.

한 곳은 알의 부화 시기가 멀었는지 꼬챙이로 건드려도 알이 쉬 깨지지 않아서 다시 모래를 덮어 주었다.

그날 내가 부화시킨 자라 새끼는 쉰 마리도 훨씬 넘었을 것이다.

동물들은 태어날 때 처음 본 것을 엄마로 알고 자란다고 했는데, 그날 알에서 깨어난 쉰 마리도 넘는 자라 새끼들은 지들 엄마인 나를 기억하고 있을까?

자라가 동물인지는 모르겠다만……

41. 불고기 잔치

구제역에 걸린 수백 마리의 돼지를 매몰하는 장면이 뉴스에 나왔다.

산다는 것은 사람만 고달픈 것이 아니고 동물들이 겪는 수난도 상상을 초월한다.

어쭙잖은 병에 걸린 암소를 화장하던 그 날의 광경이 떠올랐다.

더위가 한풀 꺾이기는 했지만, 한낮의 햇볕은 따가웠다.

가시가 물러 보이기는 해도 이파리 사이에서 쉽게 드러나는 밤송이의 모습이나 파란 하늘에 몇 조각 떠 있는 흰 구름의 모양새는 가을이 멀지 않다는 걸 알려 주는 듯했다.

부엉이 모롱이 맞은편의 밤밭을 지나면 금방 만나게 되는 물레방앗간 앞 개울의 징검다리 사이로 돌아다니는 피라미들의 색깔이 진회색으로 짙어졌고 씨알도 커진 듯했다.

징검다리 위에 쪼그려 앉아서 물장난을 하고 있는데 동네 쪽에서 사람들이 떠드는 소리가 들려와서 고개를 들어보니 동네 초입에 있는 과수 할머니 대구 댁에서 사람들이 몰려나오는 것이 보였다.

사람들이 모여 있는 것이 궁금해진 나는 동네로 향해 난 논길을 따라 숨을 헐떡이며 달려갔다.

동네 어귀에 다다랐을 즈음 스무 남은 명이 넘는 어른들은 동네 앞 둑길로 올라가고 있었고 내 또래들 여남은 명도 그 뒤를 따르고 있었다.

또래들에게 눈인사만 하고 숨을 고르면서 사람들의 행렬을 훑어보니 그들은 제각기 삽이며 괭이 심지어 꼴망태 따위 연장을 들고 있었고, 행렬의 중간쯤에는 소가 한 마리 뒷다리를 절룩이며 끌려가고 있었다.

일렬로 늘어서 좁은 둑길을 따라가는 행렬은 운동회 때의 선수 입장식 같은 모습이었으며 중간에 끼어있는 소의 걸음이 워낙 느려 양어장 입구에서 끝이 나는 둑길을 가는 데에 꽤 오랜 시간이 걸렸다.

행렬의 맨 뒤를 따라가기가 답답하여 건너편 둑으로 넘어가서 잽싸게 행렬의 선두를 따라잡았다.

이장과 입음새가 비교적 깔끔한 사람이 두 명, 그리고 낯선 남자 두 명이 앞서가고 있었고, 그 뒤에 소를 몰고 가는 사람과 동네 사람들이 따르고 있었다.

행렬을 이룬 사람들의 모습을 훑어보면서 걷다 보니 둑이 끝나는 곳에 다다랐다.

기찻길 정도의 넓이로 어른 키 두 배보다 더 높게 양쪽에 나란히 만들어져 있는 둑의 시작은 어딘지 가보지 않았으나 외가 동네에서 한 500m 떨어져 있는 양어장 끄트머리에서 둑은 끝나 있었다.

둑이 끝나 내리막길로 내려서면 양어장에서 흘러나와 물방앗간으로 이어져 있는 수로와 만나게 되고 또 다른 물줄기는 작은 시내가 되어 아래 큰 강과 이어져 있었는데, 두 갈래 수로 중간에 평소에는 물이 없는 빈 터가 목적지인 모양이었다.

그곳에는 이미 몇 명의 사람들이 퍼져 앉아서 담배를 피우고 있었고, 그 옆에는 금방 작업을 끝낸 흔적이 있는 꽤 넓은 구덩이와 쌓아놓은 나뭇단도 보였다.

선두에 있던 이장과 낯선 사람들은 구덩이 근처에서 걸음을 멈추고 뒤의 일행이 모두 모이기를 기다리고 있었다.

빈터 건너편 습지에는 갈대 따위의 잡풀이 우거졌고 새카만 물잠자리 몇 마리가 분주히 날아다니고 있었다.

대구 댁 소는 큰 눈을 끔뻑이면서 공터 중간을 벗어나 물가 가까이에 멈춰 섰다.

뒤를 따라왔던 동네 사람들은 이장과 낯선 사람을 정면으로 보면서 둘러섰다.

체격이 큰 어른들 때문에 이장과 낯선 사람의 모습이 잘 보이지 않자 우리 또래들은 평지보다 약간 높은 둑의 끄트머리 쪽으로 옮겨 앉아 기침 소리 하나 내지 않고 어른들의 행동을 지켜보고 있었다.

"저곳에다 소를 묻으려고 하는 갑다."

나 보다 두 살 더 먹은 수만이 중얼대듯 작은 목소리로 아는 채 했다.

"소를 왜 묻는데?"

영문을 모르는 내가 물었다.

"군청에서 나온 사람이 이야기하는 거 못 들었나? 돌림병에 걸린 소는 땅을 파서 묻어야 한다고 하던 말을 못 들었어?"

까무잡잡한 얼굴을 내게 바싹 들이밀며 수만이 하는 말을 들으며 내가 말했다.

"늦게 와서 그런 말을 못 들었는데, 그럼, 저 소가 돌림병에 걸렸다는 건가?"

“그건 모르지만, 군청에서 나온 사람들이 그렇다고 이야기 했으니 그런 모양이지.”
“아니야. 군청에서 나온 사람들은 아무것도 모르고 자기들 마음대로 넘겨짚은 거래. 어른들이 이야기하는 걸 들었는데, 소가 병이 난 것이 아니고 뭘 잘못 먹고 체했는데 쇠침쟁이가 침을 잘못 놔서 뱃속의 송아지가 놀라서 죽는 바람에 저리됐다고 하던데……. “
수만의 말을 반박하며 우성이가 소가 끌려온 경위를 설명했다.

우리가 소곤대고 있는 사이 어른들은 해야 할 일을 하고 있었다.
구덩이 근처에서 소코뚜레를 잡고 있던 사람이 바짝 코뚜레를 당겨 올렸고 그 서슬에 고통스러운 숨을 내쉬며 소의 머리가 위쪽으로 들렸다.
아까부터 손에 뭔가를 들고 뒷짐을 지고 서 있던 다른 남자가 슬그머니 소의 앞쪽으로 다가서더니 눈 깜빡할 사이에 쥐고 있던 연장으로 소의 뿔 사이 정수리를 힘도 들이지 않고 톡 내려치는 것이었다.
코뚜레를 잡아당기는 바람에 고통스러워서 하던 소는 어이없게도 불시에 당한 남자의 일격에 눈만 한번 휘둥그레 뜨는 것으로 앞다리의 정강이를 풀썩 꺾으며 앞으로 꼬꾸라졌고 코뚜레를 쥐고 있던 남자는 소가 완전히 땅바닥에 넘어질 때까지 고삐를 단단히 조이고 있었다.
그 모습을 보고 있던 사람들은 순식간에 벌어진 사태에 놀란 듯 일시에 탄성을 지르며 술렁댔으나 금방 주위는 조용해졌다.

몇 명의 사람들이 땔감이 쌓인 구덩이 속으로 넘어진 소를 옮기는 작업을 했고 숨이 끊어져 버린 소의 몸에다 석유를 흩뿌리고는 바로 불쏘시개에 불을 붙여 구덩이에 던져 넣었다.

석유를 뿌려서 그랬는지 잠시 시커먼 연기를 내뿜더니 이내 구덩이에는 시뻘건 불꽃이 넘실대고 있었다.

구덩이의 불길을 한동안 지켜보던 군청에서 나왔다는 사람이 말했다.

"아까도 말씀드렸듯이 이 소는 돌림병에 걸려 화장하는 것이니 혹시 누구라도 아깝다는 생각에 고기를 가져가시는 일이 없도록 해주시기 바랍니다. 오늘 중으로 상부에 보고하여 보상금 문제도 처리해야 하므로 우리는 먼저 가겠으니 이장님께서 끝까지 마무리를 잘해 주시길 부탁드립니다."

마치로 소의 정수리를 내려쳤던 남자를 포함하여 네 명의 남자는 아까 왔던 둑길을 되짚어 돌아갔다.

모여 있던 사람들은 네 사람의 움직임을 지켜보고 있다가 네 사람이 둑길을 내려가서 동네의 골목길로 들어가 시야에서 모습이 사라지자마자 누가 먼저라 할 사이도 없이 우르르 구덩이 쪽으로 달려가더니 근처의 모래를 끼얹어 불을 끄기 시작했다.

불이 꺼지면서 다시 연기가 피어올랐고, 그새 고기가 익었는지 고기 굽는 냄새가 연기를 따라 사방으로 퍼져 나갔다.

불이 어느 정도 꺼진 걸 확인한 사람들은 모래를 걷어내더니 다투어 껍질이 타다 만 소의 몸통을 해체하기 시작했다.

그들은 이미 이런 상황을 예상하였던 듯 꼴망태 속에 미리 낫 따위를 숨겨 왔던 것이었다.

한 남자가 이미 낫으로 갈라놓은 소의 배 속의 송아지를 발견하고는 잽싸게 기역 모양의 갈고리를 송아지의 콧구멍에 꿰어 넣은 후 두 손으로 힘껏 끌어당겼다.

송아지는 쉽게 빠져나오지 않았고 남자는 두 발로 버티면서 안간힘을 썼다.

남자가 몸을 뒤로 젖히고 힘을 쓰자, 바람이 빠지는 것 같은 이상한 소리와 함께 끈적끈적해 보이는 액체에 쌓인 송아지가 어미의 몸통 밖으로 빠져나왔다.

옆에서 보고 있는 사람들의 부러운 눈치를 의식한 듯 남자는 양팔로 송아지의 몸통을 껴안고 무리에서 떨어져 나왔다.

송아지의 몸에서는 피가 뒤섞인 물기가 뚝뚝 떨어지고 있었고 혼자 힘으로 들기에는 버거울 정도로 덩치가 큰 송아지의 뒷다리는 땅바닥에 질질 끌리고 있었지만, 남자는 다른 사람에게 빼앗길지도 모른다는 불안한 표정으로 재빨리 송아지를 둑의 끄트머리 쪽으로 옮겨 갔다.

남자는 외가 동네 사람이 아니었고, 그 남자 외에도 타 동네에서 온 사람이 여럿이 보였다.

한 점이라도 고기를 더 잘라가려는 사람들로 구덩이 속은 난장판이었다.

스무 명도 더 돼 보이는 사람들 속에 외갓집의 머슴인 재봉아제의 모습도 보였다.

피가 묻은 낫으로 소의 앞 다리 부분을 열심히 자르고 있는 제봉아제 역시 다른 사람들과 마찬가지로 체면 따위는 팽개친 듯 오로지 낫질만 열중하고 있었다.

소 한 마리를 나눠 가지는 시간은 길지 않았다.

구덩이에는 뼈 한 조각 남지 않았고 불에 그슬리다가 만 껍데기만 조각조각 떨어져 남아 아직 꺼지지 않은 불씨 속에서 연기를 내뿜고 있었다.

고기를 얻은 사람들이 희희낙락하면서 돌아가는 모습을 보면서 문득 둘러본 주위에는 우리 또래 서넛만 남아있었고 해도 어느새 설핏 기울어 있었다.

주위가 적막해진 느낌이 들긴 했지만, 그것도 잠깐이었다.

사람들이 구덩이에 몰려 있을 때 보다 더 소란스러운 광경이 벌어지고 있었다.

고기 굽는 냄새가 사방으로 퍼져 나가는 바람에 언제부터인지 모르게 인근의 동네 개들이 몰려와 사람들이 법석대는 소동을 지켜보면서 근처에서 어슬렁거리고 있었던 것인데, 개들은 사람들이 떠나고 나자 한꺼번에 구덩이로 몰려와서 한 점의 고기라도 주워 먹으려고 다툼을 벌이고 있었다.

개들뿐만 아니라 갈까마귀가 떼를 지어 나지막하게 하늘 위에서 선회하며 까옥대고 있는 놀라운 모습도 볼 수 있었다.

고기를 얻어가던 사람들의 표정과는 달리 정수리를 얻어맞고 넘어지던 소의 모습이며 사람들이 몰려들어 소를 해체하던 장면, 특히 죽은 송아지를 어미 배 속에서 끄집어내던 광경이 떠올라서 집으로 돌아오는 내내 찜찜하고 거북한 기분이어서 소를 화장하는 곳까지 줄레줄레 따라간 것이 후회가 되었다.

해가 지고 어두워지자 또 다른 진풍경이 벌어졌다.

외가 동네 인근에 1km도 안 되는 거리를 두고 다른 동네들이 모여 있었지만, 읍내와 달리 전기가 들어오기 전이어서 외등 하나 없는 동네의 골목길들은 어둡고 적막하기만 했었는데 그날은 사정이 바뀌었다.

고기를 잘라 간 집마다 고기를 구워 먹느라고 피운 숯불과 주위를 밝힌 모닥불로 밤늦도록 하늘이 훤할 정도였다. 그뿐이 아니라 고기 굽는 냄새가 온 동네에 진동해서 구워 먹을 고기가 없었던 외가의 마당에서 냄새만 맡고 있는 것이 고통스러울 지경이었다.

소의 앞다리 부위에서 낫질을 했던 재봉아제는 외갓집에는 고기를 나눠주지 않았던 모양이었다.

식성이 까다로워서 고기 같은 걸 좋아하지 않았지만, 나는 그날 밤 재봉아제를 원망하며 쉬이 잠을 자지 못했다.

이튿날 아침 밥상을 받았을 때, 지난밤에 재봉아제를 원망했던 게 미안했다.

외숙모는 재봉아제가 나누어준 쇠고기로 국을 끓였던 것인데, 단번에 그 고기를 어디서 가져 온 것인지를 알아차린 외할아버지는 밥상을 밀어내면서 크게 화를 내셨다.

“한동네에 살면서, 애지중지 키우던 소가 죽어 나간 대구 댁 심정을 생각해서라도 이러면 안 된다. 고기가 먹고 싶으면 내 돈 내고 사 먹을 일이지 어떻게 남의 눈물을 뺀 고기를 먹는단 말인가?”

외할아버지 뒤편에서 따로 밥상을 받았던 재봉아제는 갑작스러운 외할아버지의 호통에 그냥 눈만 껌벅거리고 있었고 외할머니가 무안해하는 재봉아제의 편을 들어 한마디 하셨다.
"괴벽스럽게 그런 소리 하지 마소. 남들 다하는 짓을 우리만 하지 말란 말이요? 생각해서 고기 나눠준 사람이 고개도 못 들고 있구만."
"고개 못 드는 게 대순가? 우리 집 소가 그렇게 죽어 나갔다고 생각해 봐라. 다른 사람이 장에 간다고 거름 지게 지고 장에 따라 갈래?"

나는 그때만큼은 까다로운 내 식성에 감사했다.
민물고기는 말할 것도 없거니와 육식도 어지간해서는 숟가락을 대지 않았는데, 그날 아침에도 당연히 고깃국은 거들떠보지도 않았으므로 외할아버지의 호통에 나는 무관했기 때문이었다.

42. 꿩 사냥

뒷산 자락에 집이 있는 북개는 겨울 접어들면서 꿩 사냥을 자주 했다.

날씨가 추워지기 시작하면 꿩들은 먹이를 쉽게 구하려 민가 근처의 산비탈 밭에 자주 모습을 드러내었고, 그런 습성을 알고 있는 북개는 농약의 일종인 싸이나(청산가리)를 사용해서 꿩 사냥을 하는 것이었다.

물에 불려 반쪽으로 쪼갠 메주콩의 안쪽을 칼로 파내 후벼낸 다음 싸이나로 채워 넣은 후 다시 밥풀로 이어 붙여 원래의 모습대로 만들어 따뜻한 아랫목에다 늘어 말린 것이 북개가 꿩 사냥에 사용하는 미끼였다.

콩의 표면에 싸이나 가루가 묻어서 약 냄새가 풍긴다면 꿩이란 놈은 굶어 죽었으면 죽었지 절대로 냄새나는 콩을 먹지 않는다며 약콩을 만들 때는 아주 조심스럽게 취급해야 한다고 했다.

그렇게 만든 콩을 조심스럽게 보관하고 있다가 해 떨어지기 전 어스름 녘에 집 뒤 산자락의 밭 주변에다 뿌려두는 것인데, 그것도 아무 데다 뿌리는 것이 아니라 꿩이 봤을 때 사람이 한 짓이라고 눈치를 채지 못하게 자연스럽게 콩 이삭이 떨어진 것처럼 위장해야 했다.

북개는 그렇게 자신만 알 수 있는 몇 군데에 약콩을 두서너 알씩 놓아두는 것이었다.

민가와 너무 가까운 곳에 약콩을 놓게 되면 자칫 집에서 기르는 닭들이 주워 먹을 수도 있었으므로 약콩을 놓아두는 장소도 신경을 써야 한다고 했다.

은밀하게 약콩을 놓아두면 꿩이 주워 먹는 일만 남는 것이었다.

어제 같은 날은 운이 좋은 날이라고 했다.
나는 약콩 놓는 걸 보려고 북개 뒤를 줄레줄레 따라다니고 있었다.
산자락을 깎아 만든 비탈진 밭의 경계엔 잎 진 찔레나무 따위의 가시덩굴이 엉켜있어서 쉬이 넘나들기 어려웠지만, 북개는 그런 곳이 좋은 장소라고 했다.
밭고랑과 둔덕이 만나는 장소의 잡초 사이에 흙 따위가 묻어 있는 손바닥만 한 돌멩이를 놓고 그 위에다 약콩을 두서너 알 놓았다.
그런 다음, 자연스럽게 바람에 날아 온 것처럼 마른 나뭇잎 두어 장을 슬쩍 돌멩이에 걸쳐 두는 것이 북개가 하는 방법이었다.
약콩 놓은 장소를 쉽게 찾기 위해 북개는 근처에 마른 나무 가지를 꽂아두었다.

추수가 끝난 콩밭에 아직 남아있는 콩대 근처면 더 좋은 장소라면서 그런 곳에도 약콩을 놓아둔 후 근처 다복솔 아래 무덤 있는 곳으로 걸음을 옮기던 중이었다.
불과 스무 발작도 떨어지지 않는 곳에서 수상한 소리가 들렸다.
고개를 돌려본 순간, 형체를 알 수 없는 무언가가 공중으로 치솟았다가 곧바로 땅바닥의 마른 숲 더미 속으로 수직으로 내리꽂히는 것이었다.
앞서가던 북개가 뒤돌아보는 가 했더니 공중으로 솟아오른 물체만큼 빠른 속도로 후다닥 내 곁을 스쳐 지나가서는 금방 물체가 떨어진 곳으로 달려가는 것이었다.

무슨 일이 벌어졌는지 알 수가 없어서 어리둥절해 있는 내 앞에서 북개는 장끼 한 마리를 주워들고 환하게 웃고 있었다.

근처에 사람이 있는 걸 알면서도 배가 고팠든지, 아니면 성질이 급했든지, 재수 없이 약콩을 주워 먹은 장끼 한 마리가 마수걸이로 걸려든 것이었다.

꿩의 모래주머니로 넘어간 약콩은 밥풀로 붙였던 부분이 금방 풀어져 반쪽으로 나누어지면서 독한 약이 몸에 퍼졌고, 고통을 참지 못한 꿩이 발광하듯 설쳐대는 행동이 공중으로 치솟기도 하고 수풀 속을 마구잡이로 헤매기도 한다면서 북개는 마치 직접 경험한 것처럼 약을 먹은 꿩의 모습을 설명해 주었다.

맹독성 싸이나를 먹은 꿩을 사람이 먹어도 되는지 의심하는 내게 북개는 천연스럽게 말했다.

"모래주머니뿐만 아니라 내장도 다 버리니까 위험하지 않아."

북개의 어머니는 우물가에서 꿩을 손질하면서 볶음요리를 할 것이라 했다.

북개 말대로 정말 내장을 다 들어내는지 확인하고 싶었다.

괜한 일에 관심을 가진다고 의심을 살까 봐 짐짓 아무렇지도 않은 척 우물가를 서성이며 꿩 손질하는 모습을 힐끗거리는 내게 북개 어머니가 말씀하셨다.

"자주 먹을 수도 없지만, 맛도 좋단다. 기다렸다가 맛이나 보려무나."

나는 꿩고기를 먹을 생각은 손톱만치도 없었다.

민물 생선만 안 먹는 게 아니라, 쇠고기 따위 육식도 좀체 먹으려 들지 않아 어머니에게 노상 핀잔을 듣는 터였는데, 꿩고기가 귀하고 맛나다고 해서 냉큼 받아먹을 생각은 없었다.

대신 장끼의 꼬리를 갖고 싶었다.
북개의 삼 형제와 그들의 삼촌이 함께 사용하는 방 안에 있는 오래된 책상 위에는 책상만큼이나 오래된 책꽂이가 놓여있었고, 철 지난 간행물 몇 권과 장끼의 꼬리도 댓 가닥 꽂혀 있었으므로 새로 얻은 꼬리는 쓸모가 없을 터였다.
내가 탐을 내자 북개는 스스럼없이 장끼의 꼬리를 다 가져가라고 했다.
머뭇거리다가는 점심시간이 닥칠 터였고 요리가 다 된 꿩고기가 차려진 밥상 앞에 함께 앉아야 할 것 같았으므로 나는 외가로 돌아오기로 했다.
북개의 어머니가 점심이나 먹고 가라고 했지만, 급한 일이 있는 것처럼 서두르는 내게 다시 권유하지 않고 또 놀러 오라는 인사말만 하셨다.
할머니까지 아홉이나 되는 대식구의 먹성도 감당하기 버거운 판에 곁다리까지 거둬 먹이지 않아서 다행이라는 생각을 했을 거라고 내가 짐작했다.

신작로를 건너면 지척에 청우네 포도밭이 있었고 밭을 지나면 청우네 집이었다.
수년 전, 논을 메워 밭으로 만든다고 수군거렸던 동네 사람들이 막상 포도를 수확하는 것을 보고 나서는 모두 부러워한다는 포도밭이었다.
포도밭 울타리를 따라 꿩 꼬리를 흔들며 지나가는 내 모습을 본 청우가 나를 불러 세웠다.

내가 들고 있는 장끼의 꼬리를 보면서 청우가 물었다.

"그거 어디서 났니?"

"북개가 주더라, 싸이나 놓아서 오늘 잡은 거다."

"꿩 씨를 말리려 그러나? 싸이나가 얼마나 독한데, 그런 약을 놓나?"

"한두 마리 잡는다고 씨가 마르겠나?"

"무슨 소리 하나? 해마다 술도가 뒤에 와서 알을 까던 꿩을 올해는 못 봤다고 하더라."

청우의 말을 듣고 오래전에 경험했던 장면이 떠올랐고, 다시는 그런 경험을 못 할 거라는 생각에 뭔가를 잃어버린 섭섭한 마음이 들었다.

재작년 초봄이었던가, 나는 술도가 뒤 산자락에서 꿩 새끼들이 돌아다니는 걸 봤다는 동네 사람의 말을 듣고 꿩 새끼가 어떻게 생겼는지 궁금해서 찾아가 본 적이 있었다.

술도가와 몇 채의 초가가 있는 동네 앞의 신작로를 건너면 만나는 산자락으로 향한 오솔길 양지바른 곳에 이름 모르는 풀들의 새싹이 올라오기 시작하던 때였다.

인적 드문 좁은 오솔길 따라 걸음을 옮길 때마다 근처 술도가에서 흘러나온 누룩 냄새가 은근히 풍기었다.

키 큰 마른 억새 잎새와 찔레 덩굴 따위가 엉겨 있는 오솔길 아래 술도가의 기와지붕만 소나무 가지 사이로 빼꼼히 보이는 오솔길이 구부러지면서 완만한 경사로 이어지던 곳에 이르렀을 때 난데없이 삐약삐약 대는 병아리 울음소리가 들렸다.

깊은 산 속은 아니지만, 그래도 인가와 떨어진 곳에서 병아리 소리가 들리는 게 이상하다는 생각이 들어서 걸음을 멈추고 두리번거리며 소리 나는 곳이 어디쯤인지 살펴보았으나 소리가 금방 멈춰버렸으므로 소리가 난 곳을 찾을 수가 없었다.

발소리를 죽이고 살금살금 두어 걸음 더 나아갔을 때, 손을 뻗으면 닿을 수 있는 거리의 숲에서 외마디 소리를 내며 까투리 한 마리가 날아올랐다.

사람이 가까이 다가가자 놀란 까투리가 날아올랐겠지만, 까투리 못지않게 나도 놀라서 숨이 멎을 지경이었는데, 진정도 되기 전에 또 놀라운 광경을 보게 되었다.

마른 나뭇잎같이 생긴 무엇이 인적이 드문 좁은 오솔길을 순식간에 건너가는 것이었다.

바람도 불지 않았는데 바람에 날리듯, 하나도 아니고 여러 개가 데굴데굴 구르듯 지나간 게 무엇인지 궁금하여 고개를 숙이고 마른 풀섶을 뒤져보았으나 아무것도 찾을 수가 없었다.

하도 이상하여 오솔길을 벗어나 풀섶 몇 군데를 발로 건드려 보기도 하면서 훑어보던 중에 낮은 관목의 마른 풀잎을 물고 매달려 있는 병아리가 눈에 뜨였다.

어두운 헛간의 꼭대기에 거꾸로 매달려 있는 박쥐를 본 적은 있었지만, 병아리가 나뭇잎을 물고 매달려 있는 것이 하도 신기해서, 정말 살아 있는 병아리가 맞는지 확인해 보려고 다가선 순간, 병아리는 낙엽처럼 바닥에 떨어지는 것과 동시에 재빠른 걸음으로 근처 키 작은 관목 속으로 도망을 가는 것이었다.

여기저기서 삐약대며 숲속으로 도망가서 숨어버린 병아리를 찾아보려 했으니 어디에도 흔적을 찾을 수 없었다.

병아리가 그렇게 빠르게 달리는 걸 본적이 없었던 내가 동네 친구들에게 경험했던 이야기를 했더니 그들이 말했다.

"너, 바보냐? 어떻게 꺼병이하고 병아리도 구분 못 하니?"

"꺼병이가 뭔데?"

"꺼병이를 몰라? 꿩 새끼를 꺼병이라고 하는 거야."

43. 오리사냥

청우가 큰소리쳤다.

"약 먹고 죽은 꿩 백 마리를 주워오면 뭐 하나? 한 마리라도 살아 있는 걸 잡아야지."

북개도 지지 않고 대꾸했다.

"살아 있는 거 잡을 거라고 허풍 치지 말고 꿩 꼬리라도 하나 주워와 봐라."

"싸이나 먹고 죽은 꿩 먹고 사람이 죽을까 봐 겁나서 주우러 안 간다."

"겁날 것도 많다. 내장만 안 먹으면 아무 문제없다니까, 무슨 겁이 그리 많나?"

싸이나로 꿩을 잡으면 안 된다는 청우와 몇 마리쯤 약으로 잡아도 상관없다는 북개의 실랑이가 있었던 다음날 오후에 청우가 나를 찾아와서는 같이 갈 데가 있다고 했다.

옆구리에는 무언가를 담아서 둘둘 만 비료 포대를 끼고 있었다.

하늘이 새꼬롬한 게 금방 눈이라도 올 것 같아서 따라나서기가 싫었으나 모처럼 부탁을 하는 청우를 그냥 보내기기 미안해서 못 이기는 체하고 따라가기로 했다.

외가에서 뒤 각단으로 넘어가는 골목 끝 공동우물 옆에 있는 양어장에 먼저 들린 청우는 작은 붕어 한 마리가 필요하다고 했다.

크기가 축구장만 한 청우네 양어장은 가운데를 둑으로 막아 두 개의 양어장 같았지만, 둑의 중간에 수로가 뚫려 있어서 양쪽은 서로 통하게 되어 있었다.

지하수가 샘물처럼 솟아 나오는 양어장은 한겨울에도 좀체 얼음이 얼지 않았으며 물속이 훤히 들여다보이는 바닥에는 수초만 보일 뿐 고기는 보이지 않았다.

청우는 양어장에 딸린 창고에서 족대를 꺼내 와서 양쪽 양어장 사이 둑 밑의 수로에 받쳐 두고는 장대로 양어장 수면을 두드리기 시작했다.

가끔 장대 끝으로 둑 아래쪽의 수초를 쑤시거나 양어장 벽 쪽 바닥의 수초를 들쑤시기도 하고나서는 다시 양어장 수면을 장대로 내려치는 행동을 계속했다.

오래지 않아 청우는 아까 수로 사이에 걸쳐 두었던 족대를 들어 올렸다.

족대 속에는 크고 작은 고기들이 들어 있었다.

물소리에 놀란 고기들이 다른 쪽의 양어장으로 도망가다가 족대에 걸려들 걸 노린 청우의 계획대로 잡힌 고기 중에서 중지만 한 붕어 한 마리만 남겨두고 나머지는 양어장에 풀어 준 뒤 청우는 들고 왔던 비료 포대를 아까처럼 다시 옆구리에 끼더니 양어장에서 나가자고 했다.

우리가 찾아간 곳은 만월터 너머로 겨울에도 물이 마르지 않아서 보리농사를 짓지 못하고 놀려두는 논들이 모여 있는 곳이었다.

둑 너머 양어장에도 오리 떼들이 찾아와서 먹이 사냥을 하고 있었지만 만월터 너머 넓은 논에도 수시로 오리 떼가 찾아오고 있었다.

우리가 도착했을 때도 한 무리의 오리들이 인기척에 놀라서 둑 너머 양어장으로 도망가는 것을 볼 수 있었고, 내려앉을 자리를 찾는 또 다른 무리가 하늘에서 선회하는 모습도 볼 수 있었다.

청우는 논두길 여기저기를 기웃대더니 적당한 곳을 찾았는지 쭈그려 앉아서 계획했던 것을 작업하기 시작했다.

만월터로 오면서 청우는 내게 알려준 그의 계획이 황당하고 엉뚱하여 어이가 없기도 했지만, 한편으로는 은근히 기대하면서 청우가 하는 작업을 지켜보고만 있었다.

청우가 가져온 비료 포대 속에는 짤막한 막대기와 막대기에 붙잡아 맨 대여섯 발이나 되는 비료 포대 푼 실(실이라고 표현은 하지만 끈이라고 해야 할 듯), 그리고 그 실의 끝에는 대나무로 깎아 만들어 매단 화살촉이 달려 있었다.

화살촉의 길이는 1.5cm 정도 되었으며 폭이 좁기는 했으나 실제의 화살촉과 흡사한 모양으로 납작했으며 뾰족한 미늘까지 다듬어져 있었는데 청우는 아까 양어장에서 잡은 붕어의 입안으로 그 대나무 화살촉을 끝이 보이지 않도록 밀어 넣었다.

그런 다음 청우는 위쪽 논에서 얼지 않은 물이 아래쪽 논으로 졸졸졸 흘러내리는 물길에다 화살촉을 뱃속에 품고 있는 붕어를 살며시 내려놓았다.

숨이 끊어진 지 오래된 붕어였지만, 청우가 물길 위에 교묘하게 올려놓은 덕분에 흐르는 물결 따라 옆으로 누운 모습의 붕어는 낮은 물길을 거

슬러 올라가려고 애를 쓰는 듯 꼬리를 살랑대고 있었다.
청우는 조심스럽게 붕어 입으로 이어져 있는 비료 포대 실이 보이지 않게 논바닥의 진흙으로 덮는 작업을 했다.
마지막으로 청우는 화살촉을 매단 실과 연결된 막대기를 논두렁에다 깊숙이 박았다.
오리가 화살촉이 감춰진 고기를 집어삼키고 난 후 도망을 못 치도록 하기 위한 것이었는데 실제로 청우가 계획했던 대로 된 것을 보고 나는 얼마나 놀랐는지 모른다.

우리가 그렇게 덫을 놓고 동네로 다 돌아오기도 전에 만월터 들판이 들썩거릴 정도로 큰 소리로 울어대는 오리의 울음소리를 들었다.
울음소리에 놀란 듯 오리들이 한꺼번에 하늘을 향해 떼를 지어 날아오르는 모습도 보았다.
청우는 나를 한번 힐끗 쳐다보고는 아무 말도 하지 않고 만월터 너머 덫을 놓아둔 곳을 향해 냅다 달려가기 시작했다.
나 역시 엉겁결에 청우의 뒤를 쫓아 달려갔다.

앞서가는 청우의 손에는 어디서 주워들었는지 작대기가 쥐어져 있었다.
화살촉에 걸려들어 파닥대며 도망가려고 기를 쓰는 오리 쪽에 다가선 청우는 들고 있던 작대기로 오리를 향해 냅다 후려치기 시작했다.
오리가 워낙 거세게 발버둥 치고 있었으므로 청우가 내려치는 작대기는 좀처럼 오리를 맞추지 못하는 걸 보면서 청우 근처로 다가간 내가 큰 소리로 말했다.

"북개가 살아있는 걸 보고 싶다고 했으니 산 채로 잡아가자."
내 말을 알아들은 청우는 작대기를 내려놓고 말뚝처럼 박아뒀든 막대기에 매어져 있는 끈을 잡아당겨 날뛰는 오리를 가까이 끌어왔다.
청둥오리는 도망가려고 발악했지만, 마침내 청우는 두 손으로 청둥오리를 감싸 잡았다.

청우의 가슴에 안긴 청둥오리는 모가지 부분에 초록색깔이 선명한 수놈오리였다.
무리 중에서 욕심이 과한 놈이었을 거라는 생각이 들었다.
물줄기를 치고 올라가려는 듯 꼬리를 살랑살랑 흔들어 대는 붕어를 발견하자마자 다른 동료에게 빼앗길 새라 두 번 생각해 볼 겨를도 없이 꿀꺽 집어삼킨 그놈은 붕어의 몸속에 화살촉이 들어 있었다는 것은 꿈에도 몰랐을 것이었다.

청우는 청둥오리가 살아있는 모습을 보여줘야 한다면서 북개를 불러오게 했다.
청우가 안고 있는 청둥오리를 본 북개가 시큰둥하게 말했다.
"청둥오리는 주둥이가 크고 넓적하니까 화살촉을 낀 붕어를 먹을 수 있지만, 꿩은 주둥이가 뾰족해서 그리 큰 거는 먹을 수가 없잖아, 그러니까 싸이나로 잡는 수밖에 없지."

돌이켜 생각해보면 나와 친구들은 무자비하고 야만적인 행동으로 물고기며 동물들을 잡으러 다녔다는 생각이 든다.

먹을 것이 부족했던 시절이었다고 십분 이해하더라도 무분별한 살생이었다는 것에서는 벗어날 수가 없어 심히 부끄럽고 죄스럽다.

지금도 불법이고 악랄한 방법으로 물고기와 야생동물을 잡고 있다는 소식을 접하곤 한다.

이제는 몰상식한 방법으로 자연을 해치는 사람이 없어야 할 것이다.

무심코 저질렀던 살생에 속죄하며 또 다른 추억을 더듬는다.

44. 물레방앗간

찬바람이 불고 살얼음이 얼 때면 어릴 적의 기억 한 가닥이 떠오른다.

읍에 있는 집에서 이십 리 정도 떨어진 외갓집에 틈만 나면 놀러 가던 시절이었다.

외가에 갈 때마다 버스비를 타낼 수 없었으므로 걸어가는 수밖에 없었다.

영남루 밑의 산길을 지나 오솔길을 따라 걷다보면 철길과 만나게 되고 철길 밑으로 뚫린 두 곳의 굴窟을 지나 선불이라는 동네를 지나면 이내 강을 만나게 되었다.

몸을 할퀴는 강바람을 맞으며 강변으로 나 있는 울퉁불퉁한 자갈길을 따라 걷다가 강의 가장자리에 얼음이 얼어있는 것을 보면 온몸이 더 떨리게 마련이었다.

강을 가로질러 놓인 섶다리를 건너갈 땐 아랫도리가 후들거렸다.

맞바람으로 불어오는 찬바람보다 섶다리 아래로 흐르는 세찬 물소리가 더 겁났다.

여울이 있는 곳에서 한참 위로 올라간 곳에서 나룻배로 강을 건너다니다가 날씨가 추워지면 강 건너 활성리 사람들은 강폭이 좁은 여울목에 섶다리를 놓아 지나다니는 사람들이 이용하도록 했다.

봄비가 내리고 강물이 불어날 때쯤 섶다리를 거둬내고 다시 나룻배를 이용했으므로 섶다리는 단지 겨울 한철만 이용했던 다리였다.

활성리 사람 외에 섶다리를 건너가거나 나룻배를 타는 사람들은 사용료를 내야만 했다.
다리 입구에 돌담을 쌓고 흙으로 바람구멍을 막은 조그만 움막에 연세 드신 할머니가 화롯불을 끼고 앉아서 지나다니는 사람들로부터 다리 세를 받고 있었다.
할머니에게 새터[新基]의 지동댁 외손자라고 알려주면 그냥 지나갈 수 있었다.
외가에선 읍내에 있는 중, 고등학교에 다니는 외삼촌 때문에 다리 사용료를 일 년 치씩 몰아서 계산하고 있었기 때문에 그 가족들 사용료도 함께 계산되었던 것이었다.

섶다리를 건너면 밤밭이 있었고 그 사이로 오솔길이 이어져 상류 쪽 강까지 이어져 있었다.
잎이 다 떨어진 밤나무들의 앙상한 가지들이 쉬지 않고 불어오는 바람에 흔들리고 있었다.
앙상한 밤나무 가지 사이로 강 건너 얼어붙은 듯 엎드려 있는 월연정 옆의 백송 나무 가지 위에서 날아오른 까치 한 마리가 기와 지붕 위로 내려앉는 모습이 보였다.
부엉이 바위 모퉁이를 돌아 나온 바람은 더욱 세차고 귀가 떨어져 나갈 듯 차가웠다.
양쪽 귀를 감싸 쥐고 뛰다시피 급한 걸음으로 밤밭을 지나서 또 다른 섶다리를 건넜다.
멀리 외가 동네가 보였고 불어오는 바람에 모래만 날리고 있는 땅콩 따위의 추수가 끝난 빈 밭 너머 강변을 벗어나면 물레방앗간 수로와 만나게 되었다.

물레방아는 쉬고 있었지만, 그 아래로 흐르는 물살은 꽤 세차서 어지간한 추위에는 물길이 얼지 않았다.

방앗간 안쪽으로 들어가서 물레방아가 멈춰서 있는 물속 아래에서 고기잡이를 할 수 있을 지 가늠을 해보고 난 뒤 가던 걸음을 재촉했다.

내일 고기잡이는 방앗간 수로에서 하자고 말해야겠다는 생각을 굳혔다.

아침을 먹자마자 모이기로 약속한 장소로 달려갔다.

어제저녁 미리 약속했으면서도 청우의 모습이 보이지 않고, 물에 들어가서 고기를 직접 잡는 역할을 맡을 북개만 먼저 와서 기다리고 있었다.

청우의 마음먹기에 따라 고기를 잡으러 가는 게 결정되었기 때문에 변덕이 심한 청우가 보이지 않는 게 불안했다.

청우의 형님이 군용 전화기를 이용하여 휴대용 발전기를 만든 게 있었는데, 전선 한쪽의 장대 끝엔 전기가 잘 통하는 쇠붙이 우산대를 이어 달았고 다른 한쪽 장대 끝엔 구리철사로 만든 족대를 달아맨 것이었다.

그 휴대용 발전기를 사용해서 고기잡이할 계획이었으므로 청우가 발전기를 가져 오지 않거나 날씨 핑계를 대면서 고기잡이가 싫다고 하면 우리는 어쩔 수 없이 고기잡이를 포기해야 하는 것이었다.

다행히 오래 기다리지 않아 청우가 휴대용 발전기를 들고 나타났다.

표정이 한껏 우쭐하고 기세가 등등했다.

셋은 동네를 벗어나서 둑길을 따라 걸어가면서 고기잡이할 장소를 의논

했다.

날씨가 풀려 어제보다 한결 따뜻했으므로 청우가 고집한 폐 양어장으로 가려던 계획을 취소하고 내가 봐 뒀던 물레방앗간으로 가기로 했다.

북개가 이 정도 추위라면 물에 들어가겠다고 큰소리쳤다.

물살이 빠른 수로에서는 고기잡이가 어렵지만, 물레방아의 물이 바로 떨어지는 곳은 수심이 깊기는 해도 물살이 없음으로 고기잡이가 용이했다.

물레방아 밑까지 장대를 들이밀자면 수로에 들어가야만 했다.

북개가 바지와 속내의를 벗고 조심스럽게 물에 들어갔다.

큰소리는 쳤지만, 물이 차가워서 저절로 온몸이 움츠려지고 벌벌 떨리는 모양이었다.

북개는 두어 번 활개 짓을 하고 난 뒤 앞가슴을 헤치더니 차가운 물을 적신 손으로 심장 근처를 문질러대기 시작했다.

심장마비를 예방하기 위해 심장에 미리 신호를 보내는 행동이었다.

추위에 적응되자 준비가 됐다는 북개의 신호에 따라 내가 발전기를 천천히 한 바퀴 돌렸다.

북개가 놀라서 움찔하는 모습을 보였다.

북개의 몸에 약하긴 했지만 전기가 통한 것이었다.

이어서 조금 빠른 속도로 두 바퀴 돌리면서 북개의 상태를 보았다.

잇몸까지 드러내고 웃는 모습을 보니 처음보다 덜 놀란 모양이었다.

북개의 몸이 전기에 대한 적응력이 생겼다는 것이 확인되었다.

북개는 양쪽 장대 끝의 간격을 대략 1.5~2m 정도로 벌려놓은 체 한 걸음씩 앞으로 나아가더니 우산대가 달린 장대 끝을 물레방아 밑으로 밀어 넣었다.

나는 발전기의 회전수를 적당히 조절하며 돌리기 시작했다.
처음부터 발전기를 빨리 돌려 전력량이 많아지게 되면 돌 틈이나 구멍 속에 숨어있던 고기가 숨어있던 장소에서 기절해 버리고 말 것이었고, 그렇게 되면 기절한 고기를 잡아내기가 어렵다는 것을 알기 때문에 천천히 두 바퀴, 세 바퀴 강약을 조절하며 발전기를 돌려야 했다.
조용하던 물레방아 밑 수심이 깊은 곳에서 파문이 일기 시작했다.
이어서 시커먼 물체가 물 꼬리를 달고 총알같이 빠른 속도로 달려 나와 북개가 들고 있는 족대 앞까지 와서 멈춰 서더니 허연 뱃대지를 하늘로 향한 채 떠올랐다
팔뚝만 한 메기였다.
나는 발전기 회전력이 빨라지도록 손아귀에 힘을 잔뜩 주고 손잡이를 돌리고 또 돌렸다
다시 물결이 일렁이고 물 꼬리를 길게 끌며 또 한 마리의 고기가 족대 앞까지 달려와서 떠올랐다.
이번엔 몇 년 먹었는지 가늠할 수 없는 굵고 긴 뱀장어였다.
비늘이 없는 메기나 뱀장어가 전기를 잘 타기 때문에 먼저 잡혔다.
물레방아 밑의 깊고 어두운 곳에서 겨울잠을 즐기던 메기와 뱀장어가 일망타진되고 난 뒤부터 붕어, 피라미 종류가 쏟아져 나오기 시작했다.
삼십 분 정도 지나자 한 말들이 들통이 가득 찰 정도로 물고기가 잡혔다.

고기잡이가 끝나 집으로 돌아오는 길에 오목한 둑 밑에 둘러앉아 근처에서 주어온 마른 나뭇가지들로 모닥불을 피웠다.

물에 들어갔다 나온 북개의 추위를 가시게 하기 위해서였다.

민물고기를 좋아하는 청우와 북개는 모닥불 잔불에 뱀장어를 올려놓았다.

뜨거운 김이 모락모락 나는 구워진 뱀장어 위에 소금에 흩뿌리고 호호 불어가며 먹는 모습을 보고 있으면 침이 절로 넘어갔다.

맛이 좋다며 먹어 보기를 권하는 그들을 짐짓 외면하고 건너편 산등성이 쪽으로 시선을 옮겼다.

장끼 한 마리가 땅을 박차고 하늘로 날아오르는 모습이 눈에 들어왔다.

45. 참새 잡이

종일 날씨가 끄물거려 눈이 올 것 같더니 날이 어두워지면서 바람만 거셌고 잎이 다 떨어진 감나무 가지끼리 부딪치는 소리가 을씨년스럽기만 했다.

등불도 내 걸지 않은 캄캄한 마당으로도 수런대며 바람이 몰려들어 바깥이 엄청 추울 거라고 지레 짐작되어 밖으로 나가기가 싫었지만, 낮에 했던 약속을 어길 수는 없었다.

더 꾸무럭댔다가는 기다리다 지친 친구들이 저들끼리 먼저 가 버릴 것 같아서 자리를 털고 일어서자마자 댓바람에 뒤 각단으로 가는 샛길로 내달렸다.

깨어진 사기그릇이나 몽당 빗자루 따위 도깨비가 좋아하는 잡동사니들이 버려져 있는 은행나무 앞길은 대낮에도 지나다니는 게 께름칙하여 기피하였지만, 시간을 줄이려면 지름길인 은행나무 앞을 지나가야 할 수밖에 없었다.

어두컴컴하여 아무것도 보이지 않는 음침한 나무 둥치 쪽을 보지 않으려고 애써 고개를 들어 보니 키 큰 은행나무 가지 끝에 걸린 초승달이 바람에 흔들리듯 빈 가지 사이에서 어른대고 있는 것이 눈에 들어왔다.

오금이 저려 걸음걸이가 불안한 걸 참으며 숨을 죽인 체 직각으로 꺾어진 돌담을 끼고 돌자마자 긴 숨부터 내쉬고는 득달같이 달려 골목을 벗어났다.

내 발소리가 다른 동물의 발소리처럼 꽁무니에 따라붙는 찜찜한 기분을 떨쳐버리려고 뒤도 돌아보지 않고 내쳐 달려서 약속장소에 도착했다.

참새 잡이를 하기로 한 친구들은 모두 헛간에 모여 있었다.
3면이 흙담으로 막혀 있는 데다 저녁 답에 불땀은 꺼졌지만, 온기가 남은 재를 내다버렸는지 헛간 안은 제법 따뜻했다.
급하게 달려오느라고 숨을 할딱이는 내게 쉴 틈도 주지 않고 먼저 와 있던 세 명의 친구들은 출발을 서둘렀다.
기와집 두 채를 빼고도 서른 몇 채 정도 되는 집마다 안채의 처마 밑만 뒤진다고 해도 시간이 오래 걸릴 것이므로 서둘지 않으면 잡은 참새를 구워 먹을 시간이 없다는 것을 그들은 경험으로 알고 있는 것이었다.
읍내만 가도 흔한 손전등 하나 없이 그들은 호롱불로 초가의 처마 밑을 비춰보고 용케 참새를 찾아내는 것이었다.
참새들은 같은 집의 처마 밑이라도 따뜻한 곳이 어딘지를 아는 것 같았다.
아궁이에서 가까운 곳의 처마 밑에는 거의 참새들이 숨어 있었다.

키 큰 북개가 참새를 잡는 역할을 했고 청우나 우성이가 호롱불을 비춰주는 역할을 했다.
북개는 참새를 잡는 족족 사정없이 땅바닥에다 패대기쳐서 참새의 숨을 끊어 놓았다.
내가 너무 잔인하다고 했더니 어차피 구워 먹으려고 잡는 것이니 인정사정 볼 것이 없다고 북개 대신 청우가 말하면서 막 숨이 넘어 간 참새 머리를 새끼줄의 가닥을 벌려서 끼어 넣는 것이었다.

열 집도 돌지 않았는데 잡은 참새는 스무 마리도 넘게 새끼줄에 끼어 있었다.

청우네 양어장을 끼고 돌면 자식들이 도회에 갔거나 군에 가버려서 할머니 혼자 사는 집과 마주치게 되었다.

욕심이 좀 지나쳐서 동네 사람들에게 미움을 받기는 해도 다른 사람들에게 해는 끼치지 않는데도 따돌림을 당하는 할머니는 우리가 참새를 잡으러 잠시 집에 들르는 것조차도 절대 허락하지 않았다.

자기 집 처마 밑의 참새도 자기 소유로 생각하는 욕심이 볼썽사나워 밉상도 그런 밉상이 없다면서 북개는 날을 잡아 참새 대신 암탉을 서리할 것이라고 벼르고 있었는데 오늘이 그날이라고 했다.

우리는 양어장 입구 탱자나무 어두컴컴한 그늘에 쪼그려 앉아서 숨을 죽이고 있었고 복개는 뒤도 돌아보지 않고 성큼성큼 가더니 소리도 없이 훌쩍 흙담을 넘어가는 것이었다.

바람 소리만 잉잉대는 캄캄한 밤중에 올려다본 하늘에는 드문드문 별들이 꽁꽁 얼어붙은 얼음같이 차가운 빛을 내며 박혀있었다.

움직일 때는 그리 심하게 추운 줄 몰랐는데 턱이 덜덜 떨릴 정도로 추워서 별을 보는 감흥도 못 느끼는 사이 북개는 모가지를 비튼 닭을 들고 우리 곁으로 돌아오더니 빨리 도망가자고 재촉했다.

우리는 발소리를 죽여 양어장 탱자나무 울타리를 끼고 돌아 나와서는 그즈음 새로 생긴 한호네 구멍가게로 향했다.

한호 어머니는 구멍가게를 하자고 했던 게 아니라 아들과 어울려 놀러 오는 동네의 젊은이들에게 두부를 만들어 야참으로 대접했던 것이 계기가 되어 수시로 두부를 찾는 사람이 생겼고, 하는 김에 구색을 갖추느라고 구멍가게를 겸하게 되었다고 했는데 음식 만드는 솜씨가 좋았다.

우리가 한호네 골방에 자리를 잡고 앉자, 바로 뜨끈뜨끈한 두부와 막걸리 한 주전자가 차려졌다.

이제 막 중학교 2학년을 마치고 3학년으로 진급하기 전의 꼬맹이들 앞에 막걸리가 가당찮았지만, 그건 어디까지나 내게만 해당하는 상황이었고, 순진한 줄로만 알았던 외가가 있는 시골동네 또래들은 이미 어른 행세를 하고 있었던 걸 나만 모르고 있었던 것이었다.

서리해 온 암탉은 볶음으로, 참새는 구이로 요리되는 동안 손 두부를 안주 삼아 막걸리를 한 잔씩 마시고 나자 북개가 말했다.

"나도 학교를 그만둬야 하지만, 우성이는 나보다 먼저 학교를 그만두고 부산으로 가기로 했단다. 먼 친척이 트럭 조수로 데리고 다니면서 운전을 가르쳐 준다고 했으니 잘 된 것 같아."

평소에 말이 별로 없던 북개가 말을 끝내고 사발에 남아있던 막걸리를 다시 홀짝거렸고, 우성이는 파랑새 한 개비를 꺼내 물고 불을 붙이고 있었다.

나는 그때서야 처음으로 농촌 생활이 어렵다는 것을 알았다.

서른 여 가구가 옹기종기 둘러앉은 동네의 모습이 평화롭고 아늑해 보여 그곳에 사는 사람들 모두 행복하게 살겠거니 했었는데 실상은 그렇지가 않았던 것이었다.

초등학교를 졸업하자마자 도시로 돈 벌러 나간 또래가 두 명인가 했더니 중학교 2학년을 겨우 마치고 북개도 학교를 그만둬야한다고 했고, 우성이는 낯선 부산으로 떠난다고 했으니 표정들은 덤덤했지만, 그 속이 얼마나 아릴지 들여다보지 않아도 알 수 있을 것 같았다.

오늘따라 북개가 위험을 무릅쓰고 닭서리까지 하게 된 내막을 비로소 알게 된 나는 그들의 우정이 부러웠고 명치끝이 얼얼해서 도저히 그냥 있을 수가 없어서 찔끔대다 그냥 뒀던 사발을 들어 남아있던 막걸리를 한 방울도 남기지 않고 마시고 말았다.

엮고 나서

나이 탓만은 아닐 것이다.
하찮은 이야기라도 고향 이야기라면
귀를 기울이게 되고
금방 향수에 젖는다.

마음만 먹으면 금방 갈 수 있는 곳이면서도
쉽게 결행을 못하고
우물쭈물 대다가
한 해를 보내버리길 수십 번.

덧없이 흘러가는
세월의 꽁무니에 매달려
잊어버렸노라 모른 체 했던
까마득한 날의 기억을 떠올린다.

그렇게 두서없이 긁어모은 추억들
잊거나 잃어버리기 전에
한데 모았다.

정말 하찮은 추억들,
괜한 짓을 한 게 아닌지 모르겠다.

2019. 9.
추석 연휴 끝난 날 김성화